自分を磨くあなたに贈る
30の応援メッセージ

豊かに働き、すてきに生きる

めでる研究室 主宰
石田 邦雄

はじめに

これを書き始めたのは令和3年5月16日。昨年から新型コロナが全世界をパンデミックへと追い込み、わが国でも当初は「東日本大震災に向けた復興五輪」として位置づけられていた「ＴＯＫＹＯ２０２０」は延期を余儀なくされ、これがいつしか「人類がコロナに打ち勝った証し」へと目的を変え、各人の生活の根幹が大きく揺らぎ始めた。そのコロナ禍により、わが故郷北海道は、昨年に続き2度目の緊急事態宣言が発出され、具体的に動きだしたのがこの日である。この影響は講師を生業にする私ももろにかぶることになり、ステイホーム生活を余儀なくされた。コロナ禍では「密を避けること」が要求され、人と人の接触の機会を減らすことが求められる。これは私の研修におけるルーチンスタイルとは真逆のことになる。

私が研修等において大事にしているのは次の3つだ。1つは「教える」ではなく「考える」、「学ぶ」ではなく「気づく」に軸足をおいて行うこと。2つはこれとも関連し、最近の研修等の多くはパワーポイントを使ってのものになるが、私は可能な限り、その都度、資料を配布し考え

てもらい、グループワークなども取り入れ、まとめにコメントをするという流れが一般的だ。3つは理論や理屈を並べるよりも、この四半世紀にわたりお付き合いをしてきた多くの団体や企業との中での事例や体験談などで語ることである。

この3点を基本に据え、カウンセラーという職業柄もあり、極力、リアルなやりとりをと思っている。となると〝密を避ける〟という、今の時代に逆行するような流れになる。そうなると予定をされていた仕事も、キャンセルや延期等での対応がいやが上にも多くならざるを得ない。とはいえ、そんな風に泣き言ばかりいっていても始まらない。ならばこの与えられた巣ごもり生活を、逆に一つのチャンスと捉え、それを利用しようではないか。それが〝前向きな生き方〟ではなかろうか。

そこで辿りついたのが今回の本の出版である。私として、これはある意味、「コロナ禍への闘い」ともいえる。なお、その他にも幾つか理由がある。私は令和3年2月23日の天皇誕生日に、人生の一つの節目にあたる後期高齢者の仲間入りをした。「国民が私の誕生を皆で祝ってくれる」とうそぶきながらのバースデーとなったが、「人生100年時代」とすれば、四季になぞらえると、いよいよ「人生の冬」へ足を踏み入れたことになる。その人生の一つの区切りとして、「何か記念に形を残したい」と思う気持ちもどこかで働いた。更に人間関係を次々と分断し差別を広げていくこの度の新型コロナ。それに対し、その思惑を打ち砕き、逆に「感謝の輪を広げることこそがそれに打ち勝つことだ」と固く信じ、70年あまりのわが人生の振り返りを通して、人、あるいは出来事に「感謝」と「気づき」を大事にして書いてみようと。

また4年ほど前、「研修におけるサブテキストにも使えれば」という思いで上梓した「縁を紡ぎ、人を育む」も、最近の環境変化もあり、より今日的なものにする為に「改定」という意味づけもありペンを走らせることにした。

なお、これに加えてもう一つ、私を原稿に向かわせる出来事が間近に起きたのが大きかった。それは宣言発出の5日ほど前に、私の生き方に大きな影響を与えた、私が幼い頃他界した、実父の実家にあたる本家といわれていた従兄弟の末弟が亡くなったことである。コロナ禍以前には、年に何度となく札幌で懇親を深め、「その内にルーツを辿るみちのく2人旅を」と企画をしていたにも関わらず、予想だにしないコロナ禍で、とうとうそれがお流れになってしまった。お互いに高齢者で持病もちときている。感染を恐れ、この2年ほど会わずじまいの中、彼は空しく他界した。その従兄弟への哀悼の意味をこめて。

そんな訳で執筆に向かう当初は、前著をコンパクトにし、多少、改定のつもりくらいで書き始めた。「縁を紡ぎ、人を育む」では、これまでの研修で影響の大きかったフレーズなどを軸に、自社内で講習等を行う際にも参考になるようなイメージで執筆をした。従って、主にはスキル面などが中心であり、私の研修を受講した人からは「先生の声が本から聞こえてくるようです」

と、嬉しい感想も頂戴した反面、受講されていない方にとっては流れもわからず、内容に入りこむのには難しい側面があったかもしれない……そうした思いも働き、多少、エッセイ風に加味するなど、執筆する姿勢も変えながら。

先述したが、今回の目標の一つには〝新型コロナへの挑戦〟がある。そこであえて「1日1話」を基本に、「宣言期間中」にということで当初は〝16のメッセージ〟という思いでスタートをした。だが、その後の宣言の延長もあり、ならばと〝30へ〟と切り変えた。この間、わずか1ヶ月あまりの中ではあったが、何かと自分と向き合い、心の変遷を感じることができ、とても有意義な時間になった。これも偏に前著との縁もあり、本を作る共同作業者でもある中西出版株式会社の皆さんのご支援があればこそだ。深く感謝を申し上げたい。お蔭で、書くことにより、自分の心の内に眠りくすぶっていた感情を昇華することにも繋がり、これまでの私と素直に向き合うことができた。とすれば、もしかしたら書く一つのきっかけとなった新型コロナに感謝をしなければならないのかもしれない。

今回の「30のメッセージ」が、どこかであなたの心の琴線に触れ、あなたが働く、そして生きる上での参考になり、「組織づくり、人育て」への副読本のように感じていただけると幸甚である。生粋の道産子である私が、視力の衰えを感じながらも、出版元と手を携えて、「道産子スピリット」で「北海道ドリーム」を目指す……私の夢がここにきて少し花開いたように思う。もちろん、それはこの本を手にとり読んでくださっている皆様方がいればこそだ。なお、読まれる場合には別に最初から順序よく、とページに拘る必要はない。お好きな所、興味のある箇所から読まれるとよい。また、内容が自分の立場等からどうか、などとは思わずに気楽に、頭を空っぽにして読んでくれるとうれしい。書かれていることは立場の違い等を超えて、誰もが知っておくにこしたことがないと思われる内容を取り上げている。確か、立場が異なる内容であったにしても、あなたの今後の働き方や生き方に何らかの示唆を与えることが可能では、と筆者として勝手に期待している。

いずれにしてもこの災厄をきっかけに、「分断や差別を許すまじ」の精神で、道民が共に手をとり合い、北海道発をたくさん増やし、ひいてはそれが日本を、そして世界を変えていく……崇高な目標に向け、足元をしっかり固めて確実な一歩を踏み出そうではないか。「朝がこない夜はない」のだから。これがお互いに「よき出会い」「より良き縁」であることを信じて。

コロナ禍が一刻も早く終息することを祈りながら。

令和3年9月

豊かに働き、すてきに生きる

目次

第3章　行動する

第4章　育む

第1章

気づく

第1章　気づく――❶

「未見の我」を信じて

自分の知らない自分を知る

　私が最近、人材育成など「ヒト」に関わる講義の冒頭で紹介する詩がある。それは安積得也の「詩集一人のために」に掲載されている「未見の我」である。文体は古く「五尺」などという言葉も出てくるが、私が伝えたいことを、この詩が代わって言ってくれているように感じるからだ。ひそかに大学受験を目指す学生諸君などに広がっていると聞く。ここでは分量の関係もあり、残念ながら全文を紹介することはできないが、まずはその一端の書き出しの文章を紹介しよう。

「昼なお暗き大森林の
何千億の樫の葉から
一番よく似た二枚を採って較べて見る
不思議だ

一枚だって同じものはないのだから」

いかがだろうか。樫の葉を模して、「**人は、皆、違って当たり前**」……このわずかな文章からもそれを読みとれる。人格も異なり、物事に対する認知の仕方も違う。その後に全体的に流れているのは、皆、それぞれ「**自分の知らない自分がいる**」ということが強調され、「それに気づけ、自信を持て」と訴えているように私には感じられる。

人は変われるか？

改めてあなたに問いたい。「人は変われるか？」と。さて、あなたはどう答えるであろうか？当然、答えは2つに分かれる。私はその答えを受けて、こんな話をする。「どちらも正解でしょうね」と。

パーソナリティーといわれる人格は4層構造で構成されていると考えるとわかりやすい。

まずはその中心にあるのが「**気質**」といわれるもので、これは「持って生まれた性分」ともいえよう。両親からの遺伝の要素が強く、背の高低や肌の色などのように生まれつきのもので「知情意」の「情」に関する感情的側面が強い。パーソナリティーの核ともいえるもので、例えば「遅い・速い」や「敏感・鈍感」などがそれで、ここを変えるのは無理な注文といえる。

2層目は「**性格**」で、キャラクターなどともいわれ、生後3〜4歳くらいまでに形成されるといわれる。家庭からの、とりわけ母親からの影響が大きい。最も一般的に使われるものとして「内向型、外向型」がある。以上の2つ。即ち、「気質」と「性格」は先天的な色合いが濃く、変えようと思っても難しい。

3層目は「**態度**」といわれるものだ。これは周囲からの刺激に対し、その人特有の反応化傾向を指す。例えば表面的なものとして、礼儀や言葉遣い等があり、それに心理的な構えが加わり「だらしない」とか「キチンとしている」などに繋がる。この態度であるが、相手が誰かで身構えが変わり、それにより対応も異なってくる。例えば、親と子や上司や部下、あるいは恋人か否か等である。これには「好き・嫌い」の**感情的側面**や、「良い・悪い」の**評価的側面**、更には「やる・やらない」の**行動的側面**があり、その程度の差により、「よく気がつく」とか「笑顔がよい」などに結びつく。となると、ここは先ほどの不変的な2つとは違い、後天的に形成されると思われる。

最後に最も外側に位置する「**役割行動**」がある。これは名刺に象徴される行動様式を考えてみるとわかる。即ち、平社員から管理職になると「上司らしく」が要求され、子供ができると「親らしく」というように。この「らしく」は立場等により要請をされ、ある意味、「建前」ということになるかもしれない。そうするとアフターファイブで、その「らしく」が外された時に別の人物が現れたりし、周囲から見るとこの「役割行動」は最も観察しやすいといえる。

そうすると外側の2つ、「態度」と「役割行動」は後天的な性格といってもよく、「変えることは可能」ということになる。こう考えると、人が変わりやすいきっかけは立場や環境などが変わった時がチャンスだともいえる。

私を例に考えてみよう。私の性格の一つに「天下一品の甘えん坊」がある。70歳代の後半に足を踏み入れようとするのに、未だ何かと甘えたい私がいる。時には赤ちゃん言葉で話したい衝動に駆られたり、膝枕などをさせてくれると「ゴロゴロ・にゃんにゃん」の世界に今も憧れを持つ私だ。確か、ここは終生、変わらないように感じている。その一方で、私が事務所を興した当初、「これだけは」と、心に決めていたことがあった。それは挨拶と笑顔である。威張って言える話ではないが、私がかつて、日本国有鉄道（現・JR・略称国鉄）新得駅に在職中に、駅長室に呼ばれ、こう説教されたことがある。「あんたの挨拶と、その仏頂面を何とかしなさい」と。以降、気にはかけてはいたが、こうして経営コンサルタントとして独立をするとなると、まずはその辺の改善は必須だ。とにかく、何がなくてもこの2つだけは、と私なりに心がけて行動するようにした。

国鉄から離れ2年後くらいの時だったろうか。かつての同僚と久しぶりに顔を合わせた時、開口一番に彼が言った。「石田、お前、印象変わったな」……そのひと言は嬉しかった。「人は変わろうとしたら変われる」……友の声にそれを教えられた瞬間だった。いかがだろうか？　そうすると**「人は変わろうとすれば変われる。変わろうとしなければ変わらない」**……どちらも正解という意味が理解できるであろう。

さて、それでは先ほどの詩へと話題を戻そう。詩の終わりはこんな言葉で結ばれている。

「彼はつまらぬ奴だ
馬鹿なまねをしやがった
しかし私は彼を見棄てない
彼の内なる未見の彼を
私は限りなく尊重する」

先に紹介をしたスタートの文面以降、中略している多くには「人は人それぞれの持ち味があり、自分の知らない自分がその内に眠っている。それに気づけ。自信を持て」……私は勝手にそんな趣旨でこの詩を捉えている。その上でこの末文はとても意味深い。何故なら、「自分もそうであるように、他者もそうなのだ。だからその可能性を信じる」と。

この考え方は部下を持つ管理職などにはぜひ強調したい。こうした考え方がベースにないと人が育つはずがない。「**部下は会社を選ぶことはできても、上司を選ぶことができない**」……この言葉の持つ奥深さを認識したいものだ。

「自立型人材」から「自律型人財」へ

今日のように取り巻く環境変化が激しい時代になってくると、いちいち上司にお伺いを立てて動くようでは対応が遅れる。その場で責任を持ち対処していくことが望ましい。そうした自立型人材を育成するのに有効な手法の一つに後述するコーチングがある。改めて「**自立型人材**」とは、「**精神的自立**」はもとより、「職業人として独り立ちして生活ができ、業務をこなせる状態」をいう。それにも他人に頼らず自分で生活を切り盛りできる「**経済的自立**」と、仕事をこなす技術を身につけている「**技能的自立**」が考えられよう。

ただ、同じ呼び方の「じんざい」でも、更に大事なのが「**自律型人財**」だ。これは、この自立を前提に、自分の進む方向を決め、評価をし、判断し行動できる人をいう。その為にも、事の善悪を判断する価値観や、また使命感などが問われる。一人よがりではなく、幅広い視野に立ち、自らをコントロールできる人でなければならない。それが「自律型人財」といわれ、周りに信頼され、頼りにされるあなたに変貌していく。一般的に仕事を進めるのに必要な能力として、主には「**仕事に関する知識**」「**仕事に関する技能や技術**」、加えて「**態度などの対人能力**」がある。私はこれを「**仕事をする上でのトライアングル**」と呼んでいるが、いくらこうしたものが備わっていたにしても、肝心な幹がしっかりしていないと、能力を十分に発揮できないばかりか、すぐに崩れてしまう。その理由は、幹になる「**バリュー（価値）レベル**」が脆弱であることを意味するからだ。これには信念や自覚、更には価値観や目的意識等がある。

「自律型人財」といわれるにはこれらが根幹としてなければならない。そうすると自律型人財とは「**顧客思考に立ち、周りからの指示がなくても、高い使命感などを持ち、自分を律しながら主体的に行動し、自ら成長していく人**」くらいになろうか。その為にも上司がどのような人かも大きく影響する。自律型人財を育成するのは「**自律型上司**」でなければならないのはいうまでもない。

部下をダメにする3つの鉄則

部下を預けられた者にとって大切なことは、この「未見の我」を人間観としてのベースに持ち、部下にどう対応していくかだ。

ここでは逆説的に話をしよう。部下をダメにしたいと思うなら、これからいう3つを忠実にやればよい。1つは「**部下が良いことをしても決して褒めないこと**」。これは自分を認めてくれないことに繋がり、誰だってやる気を失う。2つは「**何か失敗をしたら思い出し、思い出しねちっこく叱り続けること**」だ。叱る基本に「その時のみで根にもたないこと」がある。だが、ダメにしようと思うなら、そんなもったいないことをしてはいけない。さて、もう1つは、これまでの2つ以上に効くかもしれない。「**無関心を貫き通すこと**」である。感情のある人間として、これをするには非常に勇気がいるが。

以上の3つを忠実に実行すれば、どんなに優秀な部下でもつぶれるか、間違いなくあなたからは遠ざかる。部下の能力アップを図ろうとするならこの逆をすることである。

ところでこの話をするとある機械メーカーで研修を担った時のことを思い出す。実は人づくりを頼まれ、管理職研修でこの話をした。そして1年後にこれまでの振り返りも含めて個別面談をした時のことだ。何人かの人から「先生が研修で『部下をダメにする3つの鉄則』を言われましたね。私はわが社で忠実にそれを実行しているのは社長だと思います」と。唖然としたというより「やっぱり感」が強かった。激昂をかうのを承知で、社長にそれをフィードバックをした。当初は予想通りの怒り心頭。だが、私はその後は聞き手に回った。「**相手が問題（嫌な気持ち）を持った時には聞いてあげることが原則**」だからだ。やがて途中から自分を見つめるようになり、最後に「社員には内緒で」を前提に「今、精神的不調で心療内科に通っていること」を語った。

社長業の大変さを改めて垣間見、以降は社長も気が楽になったようで、辛い心情を少しずつ吐露してくれるようになった。

敵は自分の内にある

つたないわが人生を振り返っても、幾つかこの「未見の我」を感じる瞬間があった。かつて国鉄の一職員であった頃に今の自分が想像できたであろうか？　否である。また今こうしてペンを走らせ、70歳を越えて出版を考える姿など全く思い描くことはできなかった。としたら、まずは自分自身が持つ可能性を信じることだ。よく「人は持っている能力の10％も使われてはいない」という。その内に眠る力をどれだけ引き出せるか、それは他者ではなく、あなたの力量にかかっている。

そこでそれに絡めて「**ノミのサーカス**」の話をしたい。ある逸話であるが、ピョンピョン跳ぶノミにコップを被せる。さて、ノミはどうするか？　跳ぶ能力があるから思いきり跳びはねる。だが、コップの底にぶつかって痛い。そこで考える。「痛くなく跳ぶ方法がないだろうか？」。そうしてやがて大事なことに気づく。「コップの中をぶつからないようにチマチマ跳べばよい」。やがて癖がついた頃にコップを気がつかないようにそっと静かに外す。するとなんら障害物がないにも関わらず、コップがあった際の習慣でチマチマと同様に跳び続けている、これが「ノミのサーカス」の由来だ。

実は考えてみると私達個々もそれに似たようなところがないだろうか？「自分はこんなものでいい」「自分にはこれが限界」などと勝手に決めて、自分自身を小さな殻に閉じこめていることが。これはある意味、自分自身を見くびっていることになり、自分の成長を自らが止めているに等しい。

改めて確認したい。あなたにも、私にも、自分の知らない自分が眠っている。そしてそれを引き出すことができるのは、自分しかいない。他者はコーチの役割ができても、その本人にはなり得ない。目的実現に向けお手伝いするのが精一杯なのだ。人生の主役は自分。となると「**敵は自分の内にある**」といえそうだ。

これに関し、私が大好きなジョン・ラボックの言葉を贈りたい。

「他人と自分を比較して、他人が優れていても決して恥ではない。だが去年の自分よりも今年の自分が優れていないのは立派な恥だ」

人は人によって人になる

単眼思考から複眼思考へ

私が今こうして曲がりなりにも文章を書き、「物書き」の真似事ができるのはある方との出会いがあったからだ。その人とは作家の藤原ていさんだ。作家新田次郎の奥さんで、戦後、愛児3人を連れての満州からの脱出行を軸に、自らの体験を書かれた「流れる星は生きている」が大ベストセラーになった。先生とお知り合いになれたのは、北海道新聞社が主催をし、5年以上の歴史があった「エッセイ教室」との出会いである。国鉄に20年ほど奉職し2年間、ある会計事務所に。そして中小企業診断士として独立開業はしたものの仕事がなく日に日に気持ちが落ちこんでいく。そんな時に新聞広告で知った。とにかく自分にはタップリと余った時間がある。投げやりな気持ちが強い自分を知っているだけに、遊興的なものにはまると怖い。後述するが、不惑の年に別れた妻子には、「頑張っている父（元夫）の姿を見せていたい」……そんなある種の意地も働き「これを目にしたのも『学んでみたら』という天の声」と感じて受講することにした。

当初は月に1度、600字の原稿を書き提出をする。それを毎月の例会の折にコピーを取り受講者全員に配布をし、講師が講評をするという段取りになる。私は気持ちのどこかで「論文が書けるのだからエッセイなんて」と高をくっていた。だが、忘れもしない。あれは学び始めて3ヶ月目の時だった。辛辣な批評と心温まる賛辞……それを感じながらのどぎまぎする2時間の講評が始まる。するとこれまでの2回の講評が嘘のように、グサグサと先生の言葉が心をえぐった。中でも、「石田さん、これで何を言いたいの？　そしてあなたの文章には男独特の気取りがある」……皆の前でのそれはきつかった。この言葉により、同じ文章を書くといっても、論文とエッセイとは全くの別物だと感じた。私の文章は出来事を表面的になぞっているだけで、心の描写等に乏しいことが、他の受講者と比較しても私自身も感じていた。

だが、エッセイで要求される「心を裸にする」などは私が最も苦手とするところだ。以降、原稿を書こうと思っても全くペンが進まない。とうとう、2ヶ月は欠席。辞めることも頭をかすめたが「とにかく心を少し開くことだ」……なんとか自分に言い聞かせ、エッセイを書き3ヶ月ぶりに例会に臨んだ。すると赤ペンで返してくれた原稿に「そうそう、この調子でもっと書け！もっと書け！」と書かれているではないか。それをきっかけに自分を許し、少しずつ心を裸にする心地よさも味わえる私になった。

そんな折、「あなたの経験は面白いから本にしたら」と産能大学出版部から誘いがあり、私の処女作である「人生今が本番いつも本番」を上梓した。その発刊にあたり、てい先生から有り難いメッセージも頂戴した。そんな意味ではこのエッセイ教室は、単に文章の書き方を学ぶというより、私自身の生き方を大きく変えてくれた。「仕事がないこと」と「エッセイ教室」……その両者が結びついて実現したことになる。確か、このどちらかがなかったとしたら、今の自分はいない。また、仕事がない中で感じた「仕事があることの有り難さ」……もしこれを仕事がある時に感じることができたら、どれだけ気持ちも豊かに、そして「働く意味合い」も随分と深まったに違いない。

その後、てい先生は平成28年に天寿をまっとうされたと風の便りに聞いた。私の事務所には玄関の正面に「流れる星は生きている」と、先生が筆を運んだ色紙が飾られている。私の数少ない宝物の一つである。亡くなられた今でも、こうして脈々と先生の教えが私の中に流れている。

気持ちに寄り添う大切さ

丁度、その頃、近くの方から「保護司になってくれないか?」と熱心に誘いを受けた。ご承知の通り保護司は、問題のあった保護観察処分にある人の更生を促すボランティアの仕事である。しかも私のイメージとしての保護司像は「校長などをした人徳が備わった町の名士が、退職後にその知識や経験等を生かす仕事」と思っていた。としたら自分は分不相応で、受けるには抵抗があり、何度か足を運ばれたが、その度にお断りをした。

だが、次のセールストークに負けてしまった。「石田さんがおっしゃる通り、保護司は年配者の方がほとんどです。でも最近の傾向として観察処分になる者が低年齢化をし、なかなかコミュニケーションが取れなくなってきており、ぜひ若い保護司をと思ったものですから」と。そこまで請われたら受けるよりない。但し、私の仕事は、職業柄、出張などもあり留守にする可能性が高い。定期的に面接をするにしても限界がある。それで人数を制限することを条件に引き受けることにした。

早速、初の依頼があり保護司のデビュー戦となる。彼は18歳。なんと酒が好きで、しかも飲酒をすると気持ちがつい大きくなり車を運転する癖があるようで、今回もそれで補導され観察処分となったようだ。面談に初めて来た姿を見た時、正直、「引き受けなければよかった」と率直に思った。突っ張り坊や丸出しの彼と、その後ろに小さく肩をすぼめている母親の姿を目にしたからだ。といって、一旦、引き受けた以上、役割としては定期的な面接はしなければならない。月に1度のそれを繰り返し、半年ほど経過した時に振り返ってみた。果たして今の自分はどれだけ彼の役に立っているのだろうか？　と。保護観察所からの「飲まないように指導を」と指示された通り、毎回のように「飲んでないかい？　飲んだらダメだよ。あんたはまだ未成年なのだから」と決まり文句のように言っているだけ。その結果、何にも変わらない彼が目の前にいる。何がいけないのだろう？

そこで気のついたことがある。経営コンサルタントという職業柄もあり、一方的に指導する感じで接し、彼の話をほとんど聞いていないではないか、と。自分からの一方的な発信で、彼の気持ちには寄り添っていない私がいる。その気づきは、私にとって衝撃に近いものであった。そんな時である。産業カウンセラーという資格が、奇しくも一時的に、公的資格へと移行した。また一つの天の声を聞いた。「聞くことを学べ」と。それを契機にカウンセラーの勉強が本格的に始まり、今はこうしてそれをライフワークの一つにしている。

承認欲求を満たす大切さ

やがて彼も成人となり、「就職が決まった」と報告を受けた。それを聞いたらお祝いをしない訳にはいかない。「何が食べたい」と聞くと「焼き肉を」という。そこで妻と共にハタと頭を抱えることになった。アルコールをどうするかだ。彼の就職が決まったお祝いで、わが家での焼き肉パーティである。しかも彼はもう既に大人の仲間入りをし、その上、アルコールが大好きとききている。ただ、保護観察所からの「飲ませないように指導を」というのは未だ解除されてはいない。悩んだ末に「君も知っているように、まだ『酒は飲まないように指導を』と言われている。でも今回は君の就職祝いだ。それで君を信頼し次の約束をしてお祝いをすることにしよう。ビールは私と共に3本まで。それが終わったら妻の運転で君を家まで送る。帰宅後はもちろん、禁酒」と。彼の変化を顕著に感じるようになったのはそれからである。訪れた際の挨拶はもとより、靴もキチンと並べ出入りするようになった。そして何よりも嬉しかったのは、以降、随分と心を開いたやりとりができるようになったことだ。

彼の胸の内を聞いてはいないが、確か、「自分を認めてくれた」……どこかでそう感じてくれたのかもしれない。このように承認は誰もが持つ基本的欲求の一つだ。それにも目標を達成した時などの「**達成の承認**」、自ら率先して会社周りを清掃するなどの「**行動の承認**」、新たな仕事に失敗を恐れずチャレンジしようとする際の「**感情の承認**」、更には「君が入社してくれて助かった」などの「**存在の承認**」等がある。それを満たすことは人間関係の中では重要で、その大前提になるのが「**相手に関心を持つこと**」である。

なお、そのことがあり5年後くらいのことになろうか。帯広刑務所で社会復帰を目指す受刑者の方達に、就職をするに際しての心構えやマナーなどを指導する講義を依頼され、講師として足を運びかれこれ20年弱になる。そこではよく次のように語る。「人生には『敗者復活戦』が用意されている。自分を粗末にしないでください」と。人生には「ご破算で願いましては」はあってよいと思うし、そうしないと一度のあやまちを一生引きずることになり、住みづらい世の中になる。どこかでお互いに許し合える社会をつくっていくことが大切だ。最後にこんな言葉で結ぶ。

「過去と他人は変えられない。だが未来と自分は気づきによって変えられる」

これは私がカウンセラーの足がかりとなった「**トランザクショナル・アナリシス（交流分析）**」を開発したエリック・バーンの言葉である。こうして私が今、カウンセラーなどとして活動ができるのは間違いなく保護司として初めて担当した彼のお蔭である。どこかで彼を「生かしている」ようにみえて、実は彼にこうして「生かされている」のが現実だ。「生かし、生かされて」……そうして社会は回っている。

一つの縁が運命を変える

第1章　気づく——❸

「一期一縁」を大切に

「一期一会」はよく聞くが、私は最近、この言葉をもじり「一期一縁」といい、縁の重要性やその不思議を強調する。これは以前、歌手の加藤登紀子が口にしていた言葉だ。この縁に関し、よく私が研修等で行う作業がある。「自分の人生を顧みる」というシートを活用し、「それはどのような時（人や出来事）であったか？」をはじめ、「その時、自分はどう感じたか？」、更には「現在の自分にどのような影響を与えているか？」「もしその縁がなかったら自分はどうなっていたか？」などを考えさせる機会を作り、各人に人生の振り返りをしてもらう。生き方を深めるにはこのように「**自分自身と向き合う**」……**内省**の作業が非常に大切だと思うからだ。

自分のこれまでの歩みの中で、どんな人がいて、どのような出来事があったか、などに思いを馳せるだけでも十分に意味がある。なお、その記入を終えたら、更により意味を深めてもらうということで、グループなどで、「自分を他者に語る」という作業を取り入れる。こうした「**シェ**

ア（分かち合い）」を通じて、自分がどのようにし今日まで作られていったか、その一端がおぼろげながら見えてくる。このように「書く」と「話す」は自分見つめには極めて有効だ。そうした様々な縁との関わりあいが今のあなたを作り、「**これからの縁との関わりあい方いかんが将来を決める**」と言っても言い過ぎではない。

ところでこの縁であるが、とかく人と人とのそれをイメージし易い。その中で最も粘っこく、誰もにあるのが連綿と続く血縁というものであろう。だが、こればかりはどう転んでもどうしようもない。ただ縁とは決して、そうした人と人との関係のみを意味しない。先述したように、物事や出来事などとの縁も考えられる。こうした縁がなければ今のあなたも、かくいう私も人生が大きく変わっていたに違いない。さてあなたにはどのような縁があり、それを積み重ねて今日を迎えているのであろうか。「豊かな生き方」を目指すなら、これをきっかけに考えてみる価値はありそうだ。

縁は人生を大きく変える

その縁を私の事例を通じて考えてみたい。まずは人の縁であるが、私がこのシートを与えられた場合、「誰を候補にするか？」で悩むかもしれない。何故ならお蔭様で私は人に恵まれ、今流の言葉で言えば**「リスペクト（尊敬）し、自分のロールモデルにする」**……そうした人が多いからだ。同じ書くのに苦労するのでも「候補がいなくて」とは全く意味が異なる。さて、私の人生を変えてくれた人として、〝中小企業診断士の道を拓いてくれた〟といってもよいN先生をあげたい。

私は国鉄職員時代に診断士資格にチャレンジした。それにはあるきっかけがあった。29歳という年齢で「若い力と行動力」を掲げ、労働組合からの推薦を受け町議会議員になったのが昭和50年であった。この頃は2回のオイルショックを経験しわが国経済が何かと疲弊していた時である。地元で商いを営む店主が私のところを訪れた。そうして風呂敷いっぱいに包んだ書類を出しながら言う。「石田さん、あなたは選挙の際、『中小企業の味方』と言っておりましたね。実はこの不景気で店の経営が大変なのです。それで決算書も含め、経営に関し参考となる書類一切を持ってきました。これらをみて、私の店を知っていると思うのでどのようにしたらよいか助言をお願いしたい」と。「国鉄しか知らない私に対する嫌がらせでは？」と思う気持ちがどこかにありながらも、これがある重要な気づきに繋がった。というのは、確かに行われた選挙では間違いなく「中小企業の味方」と声を大にして言い、当選をした私だ。とはいっても何を助言したらよいか皆目見当がつかない。

「これでは駄目だ。公約違反になる」……そんな思いもあり調べてみると中小企業診断士という国家資格があることを知った。そこである団体の通信教育で学ぶことにした。その後、「より基礎をしっかり学びたい」と、通信制で北海道の各地でスクーリングも可能である産業能率短期大学の門を叩いた。入学したのにはそれなりの理由があった。当時、資格取得に向け、市販の参考書で学んでいた時、頻繁に目にしたのがN先生で、講師陣の中にその名を見つけたからだ。そうして集中スクーリングで上京し、憧れの先生の授業を受けた。また、私の方からもアプローチをし、経歴を伝えると「あなたも面白い人生を歩んでいるな。私もかつて労働組合活動をやっていたから」などと話してくださり、その言葉で心の距離が一気に縮まった。それをきっかけに公私でやりとりをするようになり、やがてその勢いに乗り、先生の助言も受け、今度は同大学の経営情報学部で学び無事に卒業。以降も同大学の経営開発本部委嘱講師として、テキストを執筆したり、スクーリングでの講義や、通信教育の添削等の仕事に携わった。

卒業し間もなく、N先生から電話を頂戴した。「今度、中小企業大学校旭川校に講義で向かう。ついてはあなたも顔を出してみたら」と。それが縁でこうして四半世紀にわたり、中小企業大学校に何かとお世話になっている私だ。そのN先生に弊社のオープニング・セレモニーとして記念講演をお願いをした。その時、とても驚いたことがあった。N先生が昼食後に「少し時間があるので町をぶらついてきます」と言って約1時間ほど留守にされた。その後の講演で「A店は動線が良くない、B店は陳列がわかりにくい」などと、店名を隠さずに平然というではないか。

「ちょっと待ってください」と言いたい私がいた。何故なら私の住んでいる帯広市は、人口が16万人あまりの田舎町である。隣の動きもみえ敏感だからだ。ここで名前を出されたら果たして、という気持ちが働き、顔が紅潮したのを覚えている。だが、「わずか小1時間あまりの時間でこうして具体的に改善点などを見つけることができる」……ある種のプロ魂に感動を覚えたりもして。

以降、曲がりなりにも診断士の道を歩むことができたのはN先生の力によること大である。ただ、よくよく考えてみると、そうしたきっかけを作ってくれたのは、もしかすると「嫌がらせでは」と感じた、先述した商店主の相談があればこそではなかろうか。それがなければ診断士の資格すら知らず、N先生との出会いだってない。あの商店主の相談が今の私を作ってくれたといっても過言ではない。

新たな出来事に対処する準備を

次に出来事である。私の場合、やはり不惑の年といわれる40歳を境に転職をしたことを外すことはできない。よく周りから聞かれる。「石田さん、何故に国鉄を辞められたのですか?」と。その時にはこう答える。「国鉄が国鉄のままだったら、私は相変わらず切符売りをしていたでしょうね」と。即ち、国鉄の分割・民営化がわが人生の大きな分岐点となったことは間違いない。確か、それがなかったら事業などにさして魅力を感じず、面倒くさがりの性格を持つ私だ。苦労を背負ってまで新たな道を歩もうなどとは思わなかっただろう。また、丁度、その頃に私の転職先となった高校の同期生で、税理士としてひと足先に開業をしたNさん（あえて親しみをこめて）の誘いがなかったら全く別の人生であったと思う。ということは、良くも悪くも「国鉄の分割・民営化」と「Nさんとの出会い」が私の人生を変えてくれたことになる。でもこれだけは間違いなくいえる。それは国鉄在職中、一昼夜交代勤務の中で、列車がこない夜の手待ち時間に眠い目をこすりながらこっそりと学び取得した資格があればこそということだ。その時には全く想像もしていなかった資格人生が待っていてくれたのだ。それを意図してやった訳ではないが、それがその後の生きる準備に繋がっていたことになる。

このように様々な縁が、ある時は縦糸に、そしてある時は横糸に、紡ぎ合いながら今日を迎えている。さて、あなたのこれまでには、どのような人や事との出会いがあり、また、今後に向けてどんな準備をしているだろうか。**種を蒔き、それを育て、はじめて実になる**……これは物事における道理である。「種も蒔かずに実をとろうとしてはいないか」……少し立ち止まり考えてみることをお勧めしたい。

この節の終わりに、縁に関連しこんな話を。徳川家における兵法の指南役であった柳生家の家訓に次のようなものがある。

「小才は縁に出逢って縁に気づかず、中才は縁に出会って縁を活かせず、大才は袖触れ合う他生の縁をもこれを活かす」

と。さて、あなたはどの〝才〟になるであろう。加えてこれに関連し、次のような言葉もある。**「中才は肩書きによって現れ、大才は肩書きを邪魔にし、小才は肩書きを汚す」**と。こうして年齢を重ねていくと、「縁を求める」というよりも、むしろ別の側面、即ち、**「自分自身が縁になっていく」**という可能性が強くなるように感じる昨今である。

より良い対人関係を築く為に

対人関係を築く上での3つのポイント

生きる上でも、働く上でも、人間関係の有り様が問われる。あなたは「より良い対人関係を築く上で大切なこととは？」と尋ねられたら、どう答えるだろう。一概に「これだ」とは言い切れないだろうが、私なら次の3点をあげる。一つは**「相手を好きになること」**である。人は各人が感じる「良い、悪い」があり、見方が違って当たり前だ。私は性格には基本的に「良い、悪い」はないと思っている。置かれた環境によって、同じ人であってもそれが変わるからである。それ同様に「好き、嫌い」も各人が異なり当然だ。相手を好きになる為には、現在、短所に見えているところを長所としての見方ができないか、あるいはかつて何かお世話になったことを思い出してみるなど、一度、従来からの感情を排して、より幅広い視点にたち見つめ直してみるようにしたい。ただ、その為にも大事なことがある。それは「自分自身をどれだけ好きか？」だ。これが大きいと相手を受け入れられるのも容易となるが、逆では相手を受け入れる幅が小さくなる。そこで「**相手を好きになる前に、まずは自分自身を好きになること**」……これが重要になる。自分を認めずして、何で他人を認められようか。としたら、自分自身に肯定的メッセージを与えることを心がけたい。私はその一手法として毎日、起床と就寝の際に必ず行っていることがある。それは自分自身を励ましたり、労ったりしてあげることだ。「自分と会話をする」ような感じで行うのだが、ある種の「**セルフコーチング**」といえるかもしれない。あなたも嘘だと思ってやってみるとよい。大事なことはそれをやり続けることだ。そうすると、潜在的な自分を引き出すことに役立つ。その上でもう一つが「**相手に得（徳）を与えること**」である。「相手あっての自分」を認識し感謝の気持ちを忘れないこと。人間関係において「感謝をされること」も大切だが、その前に「**何事にも感謝する心を持つ**」……そんなあなたでありたい。以上の3つを忠実に実践することで、あなたを囲む人間関係の景色が変わってくる。

人間心理の3大渇望

私は研修の冒頭、「挨拶とお辞儀は生活の句読点」と話し挨拶を交わした後、「それでは挨拶は何故するのでしょうか?」とやりとりをする時がある。一般的には「コミュニケーションの入り口」や、「自分の存在を知らせる」、「相手の様子がわかる」などであろうか。

ところで皆さんは「**渇望**」という言葉をご存知だろうか？　これは「**欲しくて欲しくてならないもの**」を意味するが、人間の心理として、それには大きく3つある。ここでは「**人間心理の3大渇望**」と称して解説しよう。まず1つ目は「**受容**」である。これは「相手に受け入れてもらうこと」を意味する。「挨拶をする」という行為は、まさにその受容の表れだ。これがないと「相手にされていない」という心境になり、「挨拶くらいしろよ！」と言いたくなってくる。即ち、受容とは逆の「無視」に繋がるからである。2つ目として「**承認**」がある。挨拶をする行為は「相手を認めている証し」である。挨拶がないと、「何か気に障ることをしたかな」などと気になり、時には自分を責めたりもする。挨拶がないということは「否認」や「拒否」を意味する。3つ目は「**重視**」である。これも誰でもが持つ渇望の一つで、これを感じたら「この人の為に」などとなりやすく、人間関係での安心感が増す。逆に挨拶がないと、「軽視」や「無関心」に繋がる。よく「**愛の対極にあるのは無関心だ**」といわれるが、関心を持たれないほど、人間関係において寂しく辛いものはない。以上、3点だが、これらは組織の原点でもある家庭内はもとより、企業や事業場等においても、返事などと同様に、「人間関係の質を決める」といっても過言ではない。

「挨拶人間に不幸なし！」

である。

「挨拶」が持つ意味

この「あいさつ」だが、単に挨拶言葉を発すればよいというものではない。日本語の一字一字には意味があるといわれ、漢字が持つ奥深さを感じるが、「挨拶」の「挨」には「押す」とか「開く」、「拶」には「引き出す」や「迫る」という意味がある。そうすると、これを「挨拶」の2文字にまとめると**「自分の心を開き、相手のよい面を引き出すこと」**となる。さて、あなたの挨拶はこれに照らすといかがだろうか。ちなみによく挨拶は**「明るく、いつも、先に、続ける」**といわれる。この各々の頭を並べると「あいさつ」になる。これが「挨拶」を行う際の基本中の基本である。としたら新入社員が朝、元気に「おはようございます！」と挨拶をしたにも関わらず、それを受けた上司がいかにも面倒くさそうに、「あぁ、おはよう」などと返す。しかもパソコンから目を離さず顔を向けることもなくなどとなると何をか言わんやだ。これを私は挨拶と呼びたくはない。先ほどの定義からいうと、挨拶をしているようなふりをして、単に「言葉を発している」か、「言葉を返している」に過ぎない。なお、この挨拶にも3つのパターンがある。朝、あなたと私が会った。その時の「おはようございます」……これに笑顔が添えられると、その言葉一つで非常に爽やかな気持ちになる。特に朝の挨拶は、「お互いに今日一日、元気に頑張ろうね」という意味があり、「**活力の交換**」と理解したい。だが、どうせなら、よりステップアップを図りたい。「石田さん、おはようございます」……名前をもしあなたが知っているなら、それを加えるだけでグッと親近感が増す。これは先述した承認欲求を満たすことでもあるからだ。更に次のような挨拶ならどうであろうか？「石田さん、おはようございます。昨日は帰りが遅かったのですか？」……より以上に心が近くなるのではなかろうか。これは「重視」に値するともいえる。とにかく、人間関係の基本は「**挨拶から始まり、挨拶で終わる**」である。言葉を介して「人と人とを繋ぐ懸け橋」の役割を持つのが挨拶だ。なお、「**挨拶の大切さがわかること**」と「**挨拶ができること**」は全くの別物だ。いうまでもなく人として求められるのは後者である。前者は頭でっかちで口だけは達者……あなたにはそんな人になってほしくない。

求められる「当たり前」の実践

次にこのような質問をしたらあなたはどう答えるだろうか？ルールのようにキチンとなってはいないものの、それに似て「職場の当たり前にはどのようなものがありますか？」と。職種等の違いもあり一概にはいえないが、次のことくらいは話題になる職場環境を望みたい。その内の一つは「**マナー**」である。マナーとは「**思いやり**」や「**おもてなし**」を形にしたもので、英英辞典を紐解くと「way of living」とある。即ち、マナーとは「**その人の生き方や生きざまそのもの**」といえる。それを構成するのが「**挨拶**」「**言葉遣い**」「**身だしなみ**」「**表情**」「**態度**」の5つであり、この内、前の2つが「**言葉によるコミュニケーション**」、後者の3つは「**言葉以外によるコミュニケーション**」である。これらについては、おいおい関連し説明をしていくことにして、忘れてならないことがある。それは「**マナーはこの内、一つでもバツなら失格**」と思った方がよい。挨拶などができても態度がだらしない等だ。次に組織人として重要なこととして〝組織の潤滑油や血液〟と称される「**報・連・相**」をあげたい。組織や職場は「**指示と報告の連続**」で動いている。としたら、立場により異なるが、指示なり命令を「うまく伝える（受ける）こと」が求められる。その為にも忘れてならないのが仕事の定石といわれる「**5W1H**」に抜けがないようにすることだ。ちなみに5W1Hとは「What（何を）・When（いつまでに）・Who（誰と）・Where（どこで）・Why（なぜ）・How（どのように）」をいう。正確な仕事を行う為には、復唱や確認は必須である。それを受けて業務に取り組むことになるが、もう一つの仕事の定石ともいえる「**仕事（管理）のサイクル**」を上手に回し、それを活かす人でありたい。それにはまずは**計画**ありきで、それを**実行**に移し、終わったら**反省**をする……このサイクルが右肩上がりになっているとしたら仕事が順調に進んでいるといえる。その場合、とりわけ重要になるのが報告である。指示を受け仕事に取り組む場合、「**報告は義務であること**」を理解したい。ある社長がこんな話をしていた。「私は『仕事ができるが報告のこない人』と『仕事はできないが報告のある人』……このどちらかを二者択一で採用するとしたら後者の人を選ぶ」と。そこに報告の重要性が隠されているように思うのだが。なお、この**報告**は「**相手から求められる前に**」が基本である。また、要領よい報告の為には結論先出しを旨とし、長期間の業務等においては中間報告も大事にしたい。更に、報告とは事実関係についてするものだが、自分の考え方等を述べたい時には、「ここから先は」などというように分けて行うようにしたい。ところで報告の中でも非常に重要な意味を持つのが「悪い報告」である。報告をする側は叱られることは覚悟の上で、勇気を持ち、それができる人であってほしい。「プロの働き手とはそうしたものだ」と割り切って。また、それを受ける上司は叱るのみではなく「報告をしてくれて有り難う」くらいの配慮がほしい。よく「報告がこない」という嘆きを聞くが、その前に〝忙しい姿を部下に平気で見せる〟など、報告をしにくい雰囲気を醸し出してはいないか、振り返ってみるとよい。次に**連絡**だが、「**相手が欲しいことをタイミングよく**」がポイントで気配りが基本になる。「**連絡無視は相手無視**」くらいに考えた対応が求められよう。もう一つの**相談**だが、これは問題解決にあたり相手の知恵を借りることをいう。別の表現をすると「**自分の都合で相手の貴重な時間を奪うこと**」でもある。としたら、相談をした件での結果の報告をするとか、お礼の言葉などがあってしかるべきだ。とにかく、この「報・連・相」のありようが組織のあり方を決めるといっても大げさではない。これを時系列的に並べると「報告」は過去、「連絡」は現在、「相談」は未来へという括りになろうと思うが、たまにみられることに「相談なのですが」というが、もうとっくに結論がでており、体裁を保つ為の「**事後の相談**」などがよくみられる。これはある意味、相手を無視する行為ともいえ、せっかくの築きあげてきた信頼が崩れることに繋がりかねないので留意したい。

「褒める」と「叱る」は人育ての両輪

先述した「人間心理の3大渇望」に関連して挨拶以上にその重要性を教えてくれるのが、「**褒める**」という行為だ。何故ならまさにそれこそが、渇望をより満たすものであるからだ。相手に関心がないと褒めるところが見つからないのがよい例だ。「褒められること」により、認められたと感じ、達成感等に繋がり、「自信が自信を生む」という、人間関係における善循環を生み出す。誰だって褒められて悪い気持ちになる人はいない。なお、上手な褒め方としては「好き嫌いの感情を抜き、公平に」を旨とするのはもとより、「人前で」や「他者を介して」、更には家族に伝える等「褒める演出をする」などが考えられよう。一方、この逆の「**叱る**」だが、私はそれにより「褒める材料を作っている」ようにも感じている。即ち、叱ったあとに「君ならできるよ、頑張ってごらん」のひと言を加えたり、少しでも改善がみられたら「よく頑張っているね」などと声かけをすることで、褒める効果がさらに増す。「叱る」とは、相手に自分の感情をぶつける「**怒る**」とは違い、相手の成長等を望んでのことなのだから、自信を持って叱ったらいい。もし、パワハラなどに怯え、それを放棄したら「部下の指導育成」の役割を捨てているに等しい。

ある酒の席でこんなことを言った若者がいた。「私は上司と関係性の浅い時に、あえて叱られるような振る舞いをします。それで『叱れる上司かどうか』をみるのです。私は叱れない上司を信用しません」と。なお、叱り方として留意すべき点は、「感情的に叱らないこと」や、「性格に触れないこと」、更には「叱る理由をハッキリ示す」や、相手の自尊心に配慮し「個別に叱る」などがその常道になる。また「どうしたんだ。君みたいにあろうものが！」というような「叱って褒める」という方法もある。どこかで「期待してくれていたのに申し訳ない」という気持ちが働くからだ。この「褒める」と「叱る」は「**人育ての両輪**」である。叱ることだって相手に関心があってこそのものだ。としたら、「**ほめ八分、叱り二分の実行**」くらいは頭の片隅にいれる上司でありたい。「**部下の成長に責任を持つ**」……どうせ働くならそんな上司のもとでと思うのだが無理な注文だろうか。その為にも次を念頭におくとよい。

「褒めるは人格、叱るは行動（事実）」

と。どちらも「相手を思いやっての言動」である。さて、「褒める」、あるいは「叱る」あなたはいかに……。

ところで「褒める」も「叱る」も相手に関心を向けての行為であり大切なことではあるが、見方によっては〝自分の尺度で相手を評価しての発信〟と考えられ〝上から目線〟ともいえなくもない。そこで考えたいのが「**勇気づけ**」である。「有り難う」や「君がいて助かった」などがそれに当たる。このポイントは「あなた」が主語である「褒める」とは異なり、「わたし」を主語にし自分の気持ちを発信するところにある。

となるとより良い対人関係を築く一つとして、

「叱る」よりも「褒める」、「褒める」よりも「勇気づけ」の文化を

といえるかもしれない。

「心眼《しんがん》」を鍛えよう

デジタル社会だからこそアナログ発想を

私は研修等で非常に「気づき」を大切にする。だから、私が研修の振り返りをする際にも『何を教えてもらった。何を学んだ』ということも否定をする訳ではありませんが『このワークをした時にこんな自分がいた』とか、『このシートを書いた時にこんな風に感じた』という視点での振り返りをしてくれると講師の私としては嬉しい」と語る。その方が単に知識として学ぶよりも、実践的で記憶に残り、成長に繋がりやすいと思うからだ。「**頭で覚える**」も大切だが、「**心で感じる**」ことは、それに負けず劣らず重要だと思う。特に最近はスマホの普及等で、「自分が興味のある、欲しい情報のみ」を安易に求めがちになる。そうすると視野狭窄に陥り、多角的に物事を見る目を邪魔しかねない。これからはわが国においてもデジタル庁の発足によりデジタル化が加速することは間違いない。世界に後れを取るわが国としては、それを進めるのにはおおいに意義がある。但し、〝**利便性が加速をする一方で人間性を失う**〟という危険も伴う。勝手に関係を作り、勝手にそれを切る……リアルではない関係性ゆえ、両極にぶれやすい側面を持つ。結果、相手の感情を自分勝手な世界に引きずり易い構図に陥る。そうすると、これまで以上に「心の触れあい」をどうつくっていくかが問われる。これはメンタルヘルス上からも極めて重要だ。とすれば**「デジタル社会だからこそアナログ発想を」**と言えるかもしれない。そして自分の命は自分で守るよりない。**「自分の心を壊してまで会社の犠牲になることはない」**と言えそうだ。

磨こう…物事をみる「3つの目」

働くことも生きることも、先の環境が見えない中で、現にある、あるいは将来に予想される問題と向き合い、多くの解決策の中から、それにあった決断を下し進んでいくかではなかろうか。その決断の裏側で求められるのが責任である。だから面白くもあり、辛くもある。ただ両者ともに間違いなく言えるのは、企業にはステークホルダーといわれる顧客や株主をはじめとする多くの関係する利害集団があり、また、人も決して自分一人で生きているわけではないという事実だ。それらとうまく関係を結び、互いに支え合いながらの発想が必要になってこよう。近江商人の家訓ではないが**「利は余沢《よたく》、三方よし」**の精神である。三方とは**「売り手よし、買い手よし、世間よし」**のことである。私は最近、これに「働き手よし」を加え**「四方よしの経営」**と称しているが。それがないと「生き続ける企業」、あるいは「すてきに生きる」のは難しい。その為に必要となるのが次の「3つの目」を磨くことだ。

皆さんも、これはどこかで耳にしたことがあるのではなかろうか。まずは「**虫の目**」である。これはしっかりと現場を濁りのない目で見ることで、よく、何かに迷ったら「**三現主義で**」といわれるが、これは「**現場**」「**現物**」「**現実**」の3つをいう。その視点でしっかりと足元を見つめ、今あることをあなたの目や肌で実際に把握することである。次にその一方で忘れてならないのが「**鳥の目**」だ。これは大所高所から俯瞰的に物事を見て向き合うこと。その為にも常日頃から幅広く知識を吸収し、考え方も柔軟にしておく必要がある。人脈を固定せずに、相手の話を素直に聞く力等が要求されてこよう。

もう一つの目は「**魚の目**」である。「企業は環境適応業」といわれ、これは人が生きていくのも同様である。企業が、あるいは人が生きていくということは、うまく時代の流れに乗って、どのように〝その企業（あなた）らしさを堅持しながら〟ということではなかろうか。そうして、どのような流れをどう作り、夢やビジョン等の大海まで辿りつくか、その道筋を企業、あるいはあなたなりに描く必要がある。となると、将来を見据えた長期的な視点が要求される。これが一般的な言葉では「**戦略**」といえるだろう。戦略を考えるにあたり、必要な要件としては「**外部環境を視野にいれたものであること**」と「**競合（相手）の動きも念頭におくこと**」の2つは必須の要因だ。その戦略に沿って機敏にどう行動していくか、というのが「**戦術**」の展開となり、企業であれば**経営計画**、個人の生き方ということになれば**キャリアプラン**などに結びつく。こうした先が読めない時代だからこそ、「**生き方を戦略化する**」という発想は極めて大事な概念だ。

以上、「虫の目」「鳥の目」「魚の目」の3つに磨きをかけていく人でありたい。

「心の眼」も育むようにしたい

わが国における経済の高度成長以降、私達は人や物、あるいは金など「日に見える資源」の成長に目を奪われ躍起になってきた。その裏側で人として非常に大事な「こころ」を置き忘れてきたきらいがある。としたら、そうした目に見えるものの他に、「**心の成長**」という考え方を持つ必要がある。それには「**心眼**《しんがん》」という新たな目も加え、これを鍛えていくことも忘れないようにしたい。

一例として経営が上向き（生き方が順調）の時には、人は嫌でも群がってくる。だが、いつまでもそれが続く保証はない。というより、山谷があるのが世の常だ。つい、調子に乗り、上がりっぱなしでいると、下り坂に転じた時には、下手をすると身内から足を掬われたりもする。私もそれに似た経験がある。ただ、それも私のこれまでの「身から出た錆」である。この「心眼」

に欠け、表面的なもののみに目がいき、もしかすると肝心な〝心をみるまで〟の力も余裕もなかったのではなかろうかと。

これに関し以前、友人から聞いた卑近な例を。両親が亡くなり、長く住んでいた住居を他人に売却することになった。その際に庭畑のツツジを「ぜひ私に譲ってほしい」といったが「そんなの買ったって同じだろう」とつれなく断られたという。彼女曰く、その言葉にむなしさを感じ、人柄をみたという。彼女にとっては娘として『両親が慈しみ育ててきたツツジ』に意味があるのに」と肩を落として語っていた姿が忘れられない。これなども心眼に関することであろう。

ところで企業はある意味、効率を求めて当たり前だ。だが、私はその裏側にどこかで「**無駄の効用**」もあるのではないかと感じている。「**無駄が有効を運んでくる**」……そうした二面性で物事をみることも必要なのではなかろうか。もし、効率や成果ばかりに目がいくと、やがて文化・スポーツなども否定することに繋がる可能性がある。それと関連し最近は、〝**論理性**〟が強く要求される。もちろんそれも否定をするわけではないが、私はその心根に〝**情緒性**〟を持つ人に魅力を感じる。特に上に立つ人として「どちらを重視するか？」と二者択一で問われたら、今なら情緒性と答える私がいるように思う。ある意味の「人間くささ」が、上にいけばいくほどに必要と感じるからだ。この世の中、竹を割ったようにすんなりとはいかない。だから難しいし、逆に面白い。こうした目に見えない「**心の目**」である〝**心眼**〟を培うことは、不透明な時代になればなるほど、大事なことのように思えてならない。なお、身体的な目は、年齢を重ねると視力が衰え老化していくのはいかんともしがたい。

だが、この「心眼」は、思いをそこにおくことによって、年の重なりと共に、むしろ冴えをみせてくるとも考えられる。日本文化として輝く〝おもてなし〟にも似て。そうすることが住みやすい社会を作り、平和な世界へ貢献する自分づくりに繋がると思う。

「生き方の戦略化」に向けて

企業も人も生き物である。そこには残念ながら寿命がある。それをより充実し、少しでも将来、より良い方向にとなると「生き方を戦略化すること」が望まれる。よく戦略化で用いられる手法の一つに「**SWOT分析**」というのがある。これは**内部環境**と**外部環境**をプラスとマイナスの両面から検討し、「先をどうするか?」を考えるのに適している。前者は自社の経営力の「**強み（strengths）**」と「**弱み（weaknesses）**」、後者は将来の経営環境である「**機会（opportunities）**」と「**脅威（threats）**」というように2軸で4つの象限にわけ、向かい方を検討する。といっても同じものを見ても見方により大きく変わる。

例えば、経営力で考えてみる。「従業員が多い」、あるいは「社歴が長い」……これらは果たして強みか、弱みか？　あなたはどう答えるだろう。概して「強み」と見えなくもないが、実際には「規模が大きく小回りが効かず厄介だ」とか、あるいは「社歴が長いことで過去の垢をドップリ背負い四苦八苦している」などという企業も多い。そうすると見方によっては「弱み」とも考えられる。問題はそうしたことがどうパワーとして花開いているかだ。実はこれは外部環境を考える時も同様のことがいえる。だとしたら、何の、どこを見るかなどで大きく変わる。そうすると「目に見えない」……「心の眼」を養う必要がある。実はこの「ＳＷＯＴ分析」は、企業経営のみではなく、各人の能力開発においても同様に活用することが可能であり、キャリア形成などに際し、自分磨きの一つとしてお勧めする。また、人はとかく主観でものを見がちであり、物事を客観的に観察し、深く見る為にはおおいに他人の目や知恵などを借りるあなたでありたい。

そうして可能なら自社の経営力（自分自身）が持つ「強み」と、今後の環境変化における「機会」を絡ませ、それをうまく活用することができるとベストであろう。勿論、それに併せて「弱み」の克服や、「脅威」からの回避も忘れてはならないことだが。

第2章

働く

改めて「組織とは？」「管理者とは？」

「集団」を「組織」に変える為に

人の集まりにも大きくは2つある。1つは「目的もない単なる人の集合体」……これは**集団**である。一方、**組織**とは「何らかの目的を持つ人の集合体」ということができる。会社や企業などといわれるからには、前者であっては困る。

それでは組織になる為の要件にはどのようなことが考えられるのであろうか？　1つは「**共通の目的に向けて**」がある。人間が一人でできることには限界がある。そこで集団の力を借り、相乗効果を発揮して、互いの持つ目標に一丸になり向かっていくのが組織である。一般的にその目的を明文化したものが、経営理念や社是、社訓などと称されるものになる。次に必要となるのが部署や立場の違い等があったにしても「一緒に働こうとする」……即ち、**協働意欲の存在**が不可欠となる。

3つ目。組織とは、

「共通の目的実現に向けた2人以上の協働する仕組み」

ということができるが、能率向上に向けて、効率のよい、互いに働きやすい構造にすることが求められる。その為にも**「役割分担」**が重要な意味を持つ。これを端的に表しているのが組織図といわれるものだ。また、各部署の中でも各人の持つべき役割も変わってくる。加えて統一性の確保が問われ、その為に**上下関係**、即ち、階層が必要となる。組織とは**権限の委譲**により成り立っているともいえ、その流れは非常に重要だ。ちなみに権限とは**「自由裁量の幅」**のことで、この割り振りが大きな意味を持つ。これがあやふやだと、何かと組織内に混乱を招きかねず、また、指示・命令と表裏一体にある報告を始めとする**「報・連・相」**にも支障をきたすことになる。

なお、アメリカの行動科学者であるD.マグレガーは次のように言っている。**「人を動かす力は権限の大きさによって決まるのではない。その場に応じて、どんなうまい方法を選び出して使うかによって決まる」**と。

さて、あなたの企業の組織実態は、あるいは部下を持つあなたはいかに？

組織が持つべき原理・原則等とは

組織がうまく機能していくには必要な原理や原則がある。少しその言葉の整理から始めよう。**「原理」**とは物事に取り組む場合の「大本の理論や理屈」、**「原則」**とは「原理を踏まえた大本の規則」であり、一般的には「原理・原則」とひと括りにされる場合が多い。ちなみに組織の基本原則として**「三面等価の原則」**（責任、権限、義務の各々が等しくなければならない）や**「指示系統の統一化の原則」**（物事を行うに際し、命令を発する直属の上司はただ一人でなければならない）、更には**「専門化の原則」**（業務を遂行する場合には何らかの関連のあることをまとめ専門的にした方が能率的である）など様々ある。これらが基本となる理論や考え方であるが、組織は色々な考え方を持つ人の集団であり、この原理・原則で動くほど単純なものではない。これをどう応用し、現場に落とし込んでいくかが問われる。

そこで必要になるのが**「規則」**といわれるもので、一般的にはルールと称し、各々の企業特性や現状等に応じて、それをより行動に反映する為に手引書ともいわれる**「マニュアル」**が用意され、規則のみではやり方がわからない場合や、個々の捉え方にバラツキがあり、統一を図ろうとする場合に作られる。

こうして組織が動いていくことになるが、私が様々な企業と接し感じるのは「規則」についてである。私は本来、これは少ない中で動く方が正解ではないかと思っている。規則でがんじがらめにしている企業が見受けられるが総じてこうした企業の組織風土はよくない。それはお互いに萎縮し、自主性を奪うことにもなりかねない。組織本来が持つ〝**相乗効果**〟にも結びつきにくい。何故そうなるかというと、「経営側の思うように動かしたい」という思惑や、「自律型人財」が少ないことを表しているように思う。そうした企業に限って、トップと話をすると「ああ、この社長だからルールで押さえ込むよりないのだな」と感じることもよくあり、どうやら「**組織風土は社長が作る**」といえそうだ。

さて、あなたの企業ではどのような決め事があり、それが有効に機能しているであろうか、これを機会に互いに検討してみることをお勧めする。イキイキワクワクした職場にする為には、目標を明確にし、その上で自由裁量の幅をできる限り広くさせ、任せることが大切だ。それによる結果についての責任は権限と同等なものが伴い、また受命される者にとり、「報告」という最も大事な責任が伴うことを忘れてはならない。一方、指示を出した側は、監督という責任が残り、もし部下が失敗をしたにしても責任を転嫁できないことは肝に銘じたい。どちらにしても経験は何よりの学習であり、「人育て」の基本はある意味、「**経験の場づくり**」ともいえる。その為にも問われるのは「**常に使命感を持ち、指示をされたからではなく、自らが失敗を恐れず、顧客思考に立ち果敢に挑戦していく**」……そうした「自律型人財の育成」が望まれる。確か、この度合いいかんがルールの多寡に結びついているともいえる。

問われる「共有化の質」

組織としての動きで極めて重要な意味を持つのが「**情報の共有化**」である。「わが社の問題点は?」と、従業員間でやりとりをすると、どこでも必ずといって、その一つに出されるのがこれである。

この共有化にも3つある。一つは「**言葉(事柄)の共有化**」といわれるもので、皆がそれを言葉として知っているかどうかである。ただ、言葉を皆が知っていても意味がバラバラで捉えられていては意味が薄い。そこで求められるのが2つ目の共有化となる「**意味(内容)の共有化**」である。もう一つは「**感情(気持ち)の共有化**」で、これは向かう気持ちがお互いに一つになっているかどうかだ。共有化に質があるとすれば、確か、「心が一つになる」、即ち、「感情の共有化」まで高めていけると素晴らしい。そうすることで一体感は高まり、組織人としての喜びもひとしおなのではなかろうか。多少、仕事がきつかったにしても、「やった!」という終わったあとの充実感や達成感は非常に深いものがあろう。

ところでその共有化に関し、よく私が活用する一つに「**フィードバック手法**」がある。これは例えば階層別研修を行ったとしよう。仮に一般社員に「先輩社員である中堅社員に望むこと」を話題にし、その後、中堅社員研修で「後輩が私達中堅社員に望むこと」について考えてもらう。そうして、一般社員の声をフィードバックすることで、「何が同じで、どこが違うか」などがみえ共感的理解に繋がりやすい。これは縦関係のみではなく、横の関係部署問などでも有効で、その過程を通じてチームの一体感を育むことに役立つ。

「組織が持つ基本的な機能」と「管理者の役割」

私は新任管理職研修などで「管理職としての立場・役割・能力」について、まずは受講者自身で考えてもらう時間を作る。「こうだ」と私から講義するのは簡単だが、それをいう前に必ず問いかけをすることを心がけている。「役割」などでは「部署の目標の達成」など、様々なものが出される。それを受けて次のように言う。「今、皆さんが答えられた時に私は、次の2つの機能が網羅されているかどうか？　で聞いていました」と。組織が持つ基本的機能は2つある。一つが「**パフォーマンス（業績達成）機能**」、もう一つは「**メンテナンス（集団維持）機能**」である。この2つの機能がうまく調和を図りながら組織は動いているといえる。ちなみに管理者の役割等と照らして考えると、前者は「仕事の管理」といってもよく、能率とコストの両面から「合理性の追求」が狙いとなる。この機能を受けての管理者の役割としては「**目標達成の管理**」や「**職場の問題解決**」がある。後者は「人間の管理」の側面を言い、これには「人間性の尊重」を原理にする〝個人としての関わり〟と、もう一方で「和の論理」で合意性を追求する〝集団との関わり〟があり、実際の管理者の役割からすると「**部下の指導育成**」と「**組織の活性化**」ということになろう。

なおこの他にも管理者の役割としては「**上司の補佐**」や「**部下の評価**」、更には「**情報の収集・伝達**」などがある。どちらにしても、これらの役割をうまく駆使しながら企業が掲げるビジョンの実現や計画の実行等を通じて、最終的には経営理念等を実現していくことになる。

そしてこんな風にまとめる。「**管理者とはこれら主な4つの役割を、説得と傾聴というコミュニケーションを上手に使って、リーダーシップを発揮して、自分のやりたいことを実現していく人**」と。

「管理者とは管理される人ではなく、管理をする人」

なのだから。

経営理念等が持つ意味

多少、各々で呼び方は変わるが、一般的に組織は「**経営理念**」と「**ビジョン**」、そして「**行動指針**」が用意されている。経営理念は先述したように組織として目指すべき姿を文章化しているものをいう。ビジョンは5年後なりの「わが社はこうなる」という中長期的なゴールを示すものといえる。行動指針はその実現に向け、「構成する社員がどのように具体的行動をしていくか」を何項目か掲げたものである。

こうして多くの団体や企業と接し、それに関連し感じたことの一つに、せっかく立派な経営理念等があるにも関わらず、下手をすると管理職層さえ満足にいえない企業があるということだ。これは先述した「言葉の共有化」もなされていないことを意味する。管理者層がそうなら部下は推して知るべしである。

また、今日、これをホームページなどで発信することが多く、そうしたらシンプルで周りにもわかり易いものにすべきと思われるが、時折、いかにも「自己満足ではないの？」と思えるほどに、長文の難しい言葉を並べたりする企業も散見される。どちらにしても組織といわれるからにはこの経営理念が「自分のものになっているかどうか？」が問われる。

次にビジョンだが、目標がそうであるようにできる限り数字なりで語るなどして「成功か失敗かがわかるもの」が望ましい。そうでないと単なる願望で終わり、意味が薄いものになりかねない。

次に行動指針だが、特にこれは「その為に私達は○○をやります」という社員の誓いにも当たるものであり、作成段階から社員も参画させ作ることが望ましい。以上の3点は、人の確保や定着化においても重要だ。

今の若者達が就職先を決める大きな要因は、これらのWEB上での情報などにまず接し、そこを出発点にして就職先を選択しているものが圧倒的に多い。そうして入社はしたもののこれらと実際との乖離を感じて退職するなどはよくある例でもある。そうするとよい人材を求めようとするなら、そうしたイメージの発信にも極力、気を配りたいものだ。また、情報の共有化の面から、従業員にも時々、開示している会社のホームページの内容を質問するとか、検索をさせる工夫くらいは考えた方がよさそうだ。帰属意識を培う為にも。

なお、「**組織は戦略に従う**」という言葉があるが、組織図は連絡網のように単に情報等の流れを落としこむのではなく、組織の将来像も念頭に入れておくことが要求される。

また、人材の配置に当たっては〝職務に人を割りあてる〟という単純な発想から脱して、〝社員個々の成長も視野に入れながら〟を忘れないようにしたい。

「ポジションパワー」から「パーソナルパワー」へ

問われるコミュニケーションの巧拙

組織人として非常に重要になるのがコミュニケーション能力である。経営コンサルタントであるブライアン・トレーシーがこんな言葉を残している。「**ビジネスの成功は10%の専門能力と90%のコミュニケーション能力である**」と。とりわけ部下を預けられる管理者等になってくるとこれはまさに必須の能力といえる。それは〝対人関係における相互作用〟を言い、「**コミュニケーションと連帯感は正比例する**」くらいの押さえ方をしておきたい。それには言語による「**バーバル・コミュニケーション**」と、非言語による「**ノンバーバル・コミュニケーション**」をはじめ、種々の分け方がある。ここでは「話す（説得）」と「聞く（傾聴）」、その2つに分け話を進めることにしよう。

まずは**説得**である。「その要件は？」と聞かれたらあなたはなんと答えるだろうか？　私なら次の3つをあげる。まずは「**信頼性**」である。これがなければ相手の聞く耳を引っ張るのは難しく、これは一朝一夕にしてでき上がるものではない。「普段のあなたがどうか？」が問われている。2つ目は「**論理性**」だ。どんなに信頼がおけたにしても、「何を言っているかわかりにくい」としたら問題である。3つ目は「**情動性**」で、本気でどれだけ真剣にやろうとしているか、「熱意」という言葉に変えてもよいであろう。これを私は「説得の3要素」といっている。

だが、かつてはこれ以上に有効だった「○○性」があった。それは「**権威性**」である。立場や肩書き等で周りを動かしていく……これを「**ポジションパワー**」というが、以前はこれがよく功を奏した。「忖度が働く」役所関係等では歴然とまだこれが通用しているようにも見えるが、最近ではこれ一辺倒では難しい時代になってきている。とりわけ、これからの時代は高齢者や女性を労働力として頼らざるを得ない。としたら高齢者を権威性をバックに管理しようとしたらどうだろうか？　少なくとも、上下一辺倒ではなく、年配者を敬う感覚を持たないとうまくいかない。あるいは女性の活用となると「好かれている上司であるかどうか？」は、一般的に男性以上に重要だといえる。総じて私がみる限り、旧態依然の権威性を前面に出して接している人は「好かれる上司」ということでいうと難しい。としたら、立場や肩書き等で周りを動かすよりも、むしろ「あの人が言うなら」くらいの受け止め方をされる人でありたい。即ち、あなたの持つ人柄や魅力で動かしていくこと。これを「**パーソナルパワー**」という。時代は

「ポジションパワーからパーソナルパワーへ」

……さて、あなたはいかに。

傾聴の重要性

次に**傾聴**である。私は「傾聴の3要素」として次をあげる。一つは相手の言っていることを素直に受け止める、即ち、「**受容**」が必要になる。といっても互いに立場などが異なる。その為、「自分が相手ならどうか？」とやりとりをするのを「**共感的理解**」という。更にもう一つが「**誠実**」である。この3つが主な要件として考えられる。

私はこの傾聴の日頃のありようが、先述した説得における「信頼性」に大きく影響を及ぼしているように思う。とにかく、上に立てば立つほど、「まずは聞く」という姿勢が望まれる。「リーダー（leader）」という言葉がいみじくもそれを教えている。即ち、

listen—聞く

educate—教える

assist―援助する
discuss―話し合う
estimate―評価する
reply―答える

を表しており、そのベースには「聞くこと」、もっと言えば「聴くこと」が極めて重要なスキルといえる。この「きく」の両者の違いだが、前者は単に音を聞く、あるいは会話であれば言葉を聞くようなことになろうが、後者についてある方がこんな表現をされていた。「『十四の心を一つにして耳を傾ける』という聞き方だ」と。漢字をもじっての表現だが、いたく感心し聞いたものだ。どちらにしてもコミュニケーションとは発信者と受信者、その間での「**刺激**」と「**反応**」により成り立つ。

そうすると次の2つの視点をぜひ大切にしたい。一つは「**コミュニケーションとは『伝える』ことではなく『理解してもらう』こと**」である。としたら、業界や専門用語などは極力避け、相手の理解度等を確かめながら、わかりやすいように話すことを心がけるようにすること。

なお、残念ながらそれでもコミュニケーションでは何かと誤解等が生じやすい。そこで私は「**コミュニケーションの決定権は聞く側にある**」という。もし聞く側に誤解として伝わったとしたら、その責任の多くは話し手側にあると思うからだ。

よきリーダーになるために

私はよく管理職研修の冒頭に「管理者のあなたに質問」というシートを配布し、自分自身を振り返り考えてもらう。質問項目は「あなたが今、管理しているものはどのようなものか？」から始まり、「組織を取り巻く環境にはどのような変化があったか？」「組織の内部の変化はどうか？」「将来、あなたの管理している職場がどう変わっていくか？」などである。管理する立場にあるなら、**「管理を任されているものは何か？」**をまずは知らなければならない。また、「守りの管理者」よりも「攻めの管理者」が求められる今日、経営環境を視野に入れることも忘れてはならないし、それに対して自社がどのような動きをしているかは**「部門を預かる経営者の代行」**としては知っておく必要がある。更には、自分の部署はそうした中でどうなっていくか、極端な言い方をすると「将来はなくなったほうが正解」という答えがあっても当然である。そうした過程を通じて、自分の立場を客観視し、時には他の管理者からアドバイス等をもらうなど、**内省**の機会を作るなどをすると、この作業の意味が一層、深まる。この中でとりわけ、1問目に答えられないとしたら、「どんな管理をしているのだ」と言いたくなる。もし、そうであれば「管理者失格」といわれても仕方がない。

これを機会に洗い出しをしてみることをお勧めする。それを知り、あなたの管理力で「**最少のインプット**」で「**最大のアウトプット**」をしていく、それが管理者である。それを行うのに不可欠なのが**リーダーシップ**である。ポジションパワーが有効だった頃、これは「指導力」や「統率力」などと訳されてきた。だが最近は「**(対人）影響力**」といわれるのが一般的であり、時代により求められるリーダーシップのスタイルも変わってくる。今日、前者はリーダーシップというより「**ヘッドシップ**」といった方が馴染むかもしれない。このリーダーシップのスタイル分けも様々あるが、その一つに「**メンバーの参画度合い**」による分け方がある。リーダーが文字通りその権限を発揮する「**専制的リーダーシップ**」、メンバーの考え方などを参考にしながら進めていく「**民主的リーダーシップ**」、メンバーにやり方も含めて任せる「**放任的リーダーシップ**」という3つのスタイルがある。ここで重要になるのが「**全てに有効というリーダーシップスタイルはない**」ということだ。

どのような組織かにより、あるいは預けられたメンバーの能力度合いや性格などによって有効なスタイルが変わる。となると、その場所、その人にあったリーダーシップの使い分けができる柔軟性を持つ人が望まれる。なお、最近、とみに耳にする言葉に「**サーバント・リーダーシップ**」がある。これは「部下に意欲や能力が備わっているなら、リーダーは邪魔をせずに部下に任せて、その成功を祈り奉仕する」くらいの意味合いになる。即ち、**陰の奉仕者**という訳だ。その為に「環境を整えたり、障害物を取り除いたりしてサポートをしていく」と考えるとわかりやすい。だが、それなりの度量がないと簡単にはいかない。これは順調に事が運んでいる時などには極めて有効だといえる。

「リーダー親指論」が意味するもの

私は管理者を対象とした研修で、「手を広げてみてください。親指とその他の指との違いは何ですか?」と問うことがある。リーダーの持つ役割を、親指になぞって話ができるように思うからだ。よく出される一つが「短い」がある。となると「常に腰を低くしドッシリと構えること」くらいが落としどころになろう。「他の指と方向が離れている」もよく出される答えだ。とするとメンバーとリーダーとはおのずと求められるものが違うと理解したい。「他の指と違い、全ての指とくっつくことが可能」もある。メンバーと向かうところは異なったにしても、必要ならどの指とも交流が可能……これもリーダーとしてはとても大切なことではなかろうか。更には感性豊かに「握った時に、内、外の両面がある」という声も出たりする。もし、内側にあるとしたら「中心にいてしっかりと采配をふり内部を固める」、また外側にある場合は、「率先垂範で積極的に周りにアプローチしていく」……いかがだろうか？　このようにみると、親指を介してリーダーの役割の片鱗を語れるかもしれない。これを私は「**リーダー親指論**」と称しているのだが。

なお、これまで記してきたことからいうと、これからのリーダーには次の3つの顔が要求されるかもしれない。一つは文字通り「**リーダーとしての顔**」で、向かう方向性を明らかにし、時には必要なら現状を否定し改革を大胆に進めるなど、「何故」に関わる顔とでもいえようか。二つは「**マネージャーとしての顔**」で、この「マネージ」には「精一杯やりくりをする」という意味があり、従って、現状を踏まえながら、仕組みやルールなどを作り、「どのように」に関わる顔とでもいえよう。もう一つの顔が、第5章の2に触れている〝協働促進者〟といわれる「**ファシリテーターとしての顔**」である。これはチームを上手にまとめ、どううまく支援をしていくかなどに関するものである。確か、上に立つ者として、これら三つの顔を持つことにより、先述した「サーバント・リーダーシップ」を手中にすることも可能になるように思うのだが。

そうするとリーダーとして腹にすえたい言葉がある。

「制度で人は変わらない。人は人で変わるのだ」

「作業」を「仕事」に、「仕事」を「志事」に

求められる精神的満足

「あなたは何の為に働いていますか？」と問われたらなんと答えるであろうか？「生活の維持や家族の為」や「より生活を豊かにする為」、更には「自分を成長させる為」、あるいは「地域や社会に貢献する」など様々な答えがあるであろう。また、「仕事が楽しいから」という答えがある一方で「働かないと世間の目がうるさくて」などと言う人がいるかもしれない。働くとは「周りに役立ってこそ」意義がある。即ち、「働く」とは「傍（はた）を楽にすること」だ。そうして一人では到底困難なことを、集団の力を借りて、共通の目的実現を目指し向かっていくというのが、組織や企業の姿である。

いみじくも「働」という一字がそれを語っている。即ち、「働く」とは「**人の為に動く**」ことであり「**人の力を重ね合わせること**」「**チームでワークすること**」を指す。とすると、これだけは間違いなくいえる。

「あなたの為の仕事はないし、あなたの為の組織はない」

と。仕事も組織も「顧客をはじめ、周りへの役立ちの為にある」のだ。

ところでかくいう私の仕事人生を振り返ってみると、若かりし頃は「自分の生きる為の手段として働いていた」ように思う。「給料が上がった」「休みが増えた」……そうしたことに喜びを感じて。だが年を重ねてくる中で、それ以上に「あなたがいて助かった」「これができたのも君がいればこそ」などと顧客や上司などからいわれると金では買えない**精神的な満足**がモチベーションアップに繋がった。そしてこの満足の方がはるかに長続きするように思う。となると、雇用する側もそうした側面に目をやる必要がある。

ちなみに動議づけに関する理論の一つにハーズバーグの「**動機づけ・衛生理論**」がある。彼はそれについてこう説明している。家の構造を例に解説しよう。基礎となる土台にあたるのが「**衛生要因**」といわれ、人間関係、給与、会社の方針と管理、処遇、福利厚生をいい、これを改善すると不満足感が薄れるのには役立つが動機づけということになると弱い。そこで「本来の動機づけになる要因は別にある」といった。建物にあたるといえるかもしれないが、達成や承認、仕事そのもの、更には責任や成長をあげ、これを「**動機づけ要因**」と称した。

私もよく第三者的な立場を利用し、従業員との個別面談をするが、イキイキと語られるのは間違いなく後者である。そうすると、企業として大切なのは不満足要因ともいわれる前者をせめて世間並みにし、その上で満足要因である後者をどう与えていくかが肝要となろう。それが働く側にも大きな影響を及ぼすことは明らかだ。そうしてその是非が「**流される働き方**」への引き金になりやすい。中でも今日の若者達にとって重要なのが「仕事をする中でどれだけ成長を感じられるか？」だ。職場は「**単に仕事をこなす場**」と思うとあまり楽しい働き方にはならない。「**自分を成長させる場**」と考え、仕事における失敗も、上司からの叱責も、「自分の成長の為にある」と思うと少しは納得がいくのではなかろうか。

小さな成功体験を積ませる大切さ

私はよく新入社員研修で講義をした3〜6ヶ月後にフォローアップ研修を行う。誰でもがそうだが、新入社員研修を受ける頃は、満足に仕事を知らない中でのものであり、「言葉が耳に届くのがやっと」ではなかろうか。その後、わからないままに、「仕事を覚えよう」「職場に馴染もう」などと、懸命に取り組む自分がいたような気がする。入社当初は、緊張感などで気が張り、何とか持ちこたえてはきたものの、やがて組織の実態等もわかりかけてくるようになると「この会社に入ってよかったのだろうか？」と、組織の壁にぶつかるなどはよくある話だ。下手をすると精神的に不調をきたすなどがあるのもこの頃になる。その時期を見計らい、カウンセラーという立場で個別面談をさせていただいたりして、サポート役を担うことも多い。

考えてみると私もそうだったが、新入社員の頃は、仕事がわからない、できないがゆえに、褒められることはほとんどなく、叱られる日々が続く。そうして迎えるフォローアップ研修である。新入社員研修の時期と比較すると「自信に満ちた顔」もあるが、概して疲労感を醸し出している者が多いように感じる。

そこで研修ではポストイットを配り「どんな小さなことでもいいですから、入社時と今とを比較して『できるようになったこと』を沢山あげてみてください」とカードに記入をしてもらう。項目出しを終えたらグループでのやりとりに移る。そうすると、その過程を通じて徐々にイキイキした彼らが戻ってくる。ちなみにどんなことが話題になるかというと、「先輩と会話ができるようになった」「電話を怖れなくなった」「書類の書き方がわかった」など、他愛のない言葉が並ぶ。実はこれが重要なのだ。大事なことはそこでどうプッシュするかだ。「みてください。半年前と比べて、こんなにも成長したあなた方がいるのです。素晴らしいと思いませんか？」と背中を押す。彼らはまだ斜に構えることも少なく、素直な気持ちで受け取ってくれる。そうして目の輝きを取り戻していく。こうして小さな成功体験を踏ませることは非常に今の若者達にとっては有効だ。

そしてこう付け加える。「最初から大きな仕事は回ってきません。組織はそんなに甘いものではありません。でも、これだけは忘れないでください、・

『**小さな仕事にも大きな意味があること**』

と。仕事を発する側も単に仕事を与えるだけではなく、この「何故に」を、しっかり伝える組織なり、上司であってほしい。「**下働きの中に人としてのありようがみえる**」ことも伝えて。

自己肯定感を育む重要性

今時の若者達をみていると「何故にそんなに自信があるの？」と聞きたくなるような側面を持つ。だが実際はどうかというと、その裏側で、いい知れぬ不安感が彼らには同居しているようだ。それを物語るデータがある。厚生労働省が２０１７年に行った「労働安全衛生実態調査」によると「強いストレスとなっていると感じる事柄がある」と答えた者が58％。その要因としては「**仕事の質・量**」が63％、「**仕事の失敗、責任の発生など**」が35％、「**対人関係（セクハラ・パワハラを含む）**」が31％と続き、注目したいのは、20歳未満に限ると「仕事の失敗、責任の発生など」がなんと72％と際立っている。

今日の若者達は**一卵性親子**という言葉もあるように、真に一人になる味を体験していない人が多い。危ないことの経験などもほとんどなく叱られることも稀。それが「良い子」の条件のようにして育てられる。近年は少子化の影響もあり、そうした親子間のベッタリ感がそれを生んでいる一つの要因のように感じる。そうするとその不安を取り除いてやることが自己肯定感を高め、成長に向けたレールに乗せることにも繫がる。私は**子育てとは、「子供が親離れを、親が子供離れをする過程である」**と思う。この基本的な考え方は職場における部下の指導育成でも同様だ。「育つ」とはそうした「自立する心を育むこと」をいうのではなかろうか。ちなみに自立するとは私は次のように思いたい。

「自立する」とは

自分で感じて
自分で考えて
自分で判断して
自分で行動して
自分で責任をとること

中堅社員として問われる心構え

やがて経験を積み**中堅社員**などと言われるようになってくると、新入社員時代に抱いていた「**緊張感**」はやがて「**慣れ**」に変わり、それが「**ダレ**」に変わっていきやすい。そうして権利の側面が顔を出し始め、厄介な存在に変わっていく人も少なからずいる。この時期に大事なことの一つは「**権利を主張する前に義務を果たせ**」と言っておきたい。この時期は下手をすると、仕事人として、あるいは生きていく上で、**人生の一つの落とし穴**になる可能性を秘めている。なお、そうならない為にも、仕事における基本的心得として「**明るく、前向きに、行動する**」……そうした中堅社員でありたいものだ。組織の一員として、常にそれらを自問自答する人でありたい。また、それには「周りに期待されていることは何か？」を考え、それに応えていく人でありたい。

ここでいう周りだが、一般的には縦関係では「**上司**」と「**部下（後輩）**」、横関係では「**関係部門や同僚**」、それに「**顧客や得意先**」……この4方向からの期待が考えられよう。働くとはこうした「周りの期待に応えていくこと」であり、「**期待を知らずして本来の仕事はない**」ともいえる。

ちなみにこの期待としては、上司からは「うまく自分を補佐してほしい」、部下（後輩）であれば「私の指導育成をよろしく」、関係部門からは「協働の精神で」、顧客であれば「ニーズを把握して」などになるであろう。

その期待に応えていくには様々なことが考えられようが、間違いなくこれらの期待に応える為の共通項がある。それは「**誠実**」である。これは働く上でももちろんだが、生きていく上でも基本中の基本といえよう。

「仕事のQCD」を実践し「志事」をする人に

働く現場では同じ行為をしていたにしても、「気持ちの向かい方」で3つに分かれる。一つは「**作業**」で、目的等も考えずに「言われたことをただやっているだけ」の人をいう。そこで求められるのが「**仕事**」と言われる働き方だ。これは言われたことはキチンとこなし、時にはやり方の改善等には踏み込むものの、まだ、本来の「何の為に」という使命感等にまでに辿りつかない。そこで従来の枠にはまったやり方に固執せず、常にゴールをイメージし「**志事**」まで高めていければ素敵だ。これに関する簡単な例を一つ。例えば新聞記事のコピーをお願いしたとしよう。「ハイ、できました」と持ってきたのはよいが全体的に黒ずんで見えにくい。これは「作業」である。それに気づき、少し薄めにコピーを取り見やすくして提出、これは「仕事」である。更にあなたが依頼された記事を見て「課長、これは拡大したほうが見やすいでしょうから、そうしましょうか？」……これが「志事」の言動といえよう。「**仕事**」とは「**事に仕えること**」をいうが、「**志事**」とは「**志を持ち、新たな事をつくること**」ともいえる。あなたの今の働き方はどのレベルにあるであろうか？

ところで、一般的に新入社員は先輩にあたるこの中堅社員層に預けられる場合が多い。としたらこの層が右を向くか、左を向くかでその組織が大きく変わる。となると「**中堅社員は中核社員**」といってもよいのではなかろうか。その為にも「**仕事のＱＣＤ**」くらいは念頭におくとよい。携わる業種等が違ったにしても、必ずそこには「何の為に」という目的がある。それを把握した上で、まずは求められるのがミスのない仕事などに関連する「でき栄えや品質」、即ち、「**Quality**」である。ただ、どんなに品質のよい仕事をしたにしても費用、「**Cost**」が嵩むようではあまり意味がない。更にもう一つ、忘れてならないことがある。安い費用で出来のよい仕事をしたにしても、納期なり時間に間に合わないようなら全く意味をなさないことも考えられる。即ち、「**Delivery**」である。これを「仕事のＱＣＤ」という。スタートラインは同じでも、やがて差がつく大きな要因にはこの意識の多寡がある。求められる働き手になろうとするなら、が問われている。

「どのような心根を持ち、日頃の仕事をしているか？」

「流される働き方」からの脱却を

問題意識を持つ重要性

組織とは問題があって当たり前で、その問題解決を図っていくのが、ある意味で経営であり、仕事の現場でもある。マクドノーは次のような言葉を残している。「**経営活動は問題解決活動である**」。更にそれに繋げて次のようにも言っている。「**管理活動は具体的問題解決活動である**」と。それでは問題とはなんであろうか？　それは「**あるべき姿（目標）と現実（結果）とのギャップ**」をいう。問題というとかく、トラブルやクレーム、あるいは事故などをイメージしやすい。だがこうした基準から外れた「**逸脱問題**」ばかりとは限らない。例えば目標の未達やコストアップなど「思い通りに進まない」という「**未達問題**」がある。この2つの問題は現場で起こっている出来事であり「誰でもがわかる問題」、別の表現をすると「**問題意識がなくても見える問題**」といってよい。これらを「**発生型の問題（ぶつかる問題）**」といったりする。

だが問題には、これとは別の視点のものもある。それは「**形成型の問題（探す問題、創る問**

題）」といわれ、問題というよりも「**将来に向けた課題**」と読み替えてもよいかもしれない。即ち、目標を策定するとか、新市場の開拓や新商品の開発に取り組む、あるいは危機管理等に関するものがそれにあたる。前者との最大の違いは、これらは「**問題意識がなければ見えない問題**」である。同じ仕事をしながらも各人により問題の有無に二分されるのは、この「問題意識」が関連する。だから私はケロリとした顔で「私の職場はなんら問題ありません」という人には「問題がないというあなたが問題なのかもしれませんね」と言ったりする。これが一つの「流される働き方」に繋がっている可能性が高いからだ。

「当たり前を疑う」ことの大切さ

そうして問題解決に当たることになるが、まずは必要とされるのは「問題を問題と感じる力」、即ち、「**感知力**」が求められる。これは観察力や分析力、洞察力など様々な要素から構成され、それらを高めていく必要がある。それには好奇心や向上欲を持つことをはじめ、事実や客観的データに裏づけられた論理的思考を養うとか、自分の枠にとらわれず幅広い人脈や情報網を広げる、更には先入観や固定観念を捨てるなどが重要になる。その為に私がよく強調するのが「**当たり前を疑え**」である。例えば「『うちの会社は』や『私の職場だけは』などという表現で形容される対象はないか？」、あるいは「検討をするでもなく、長く続いている商習慣や決まりごとはないか？」、更には「『これしかない』など断定的に言われているがそれに疑問を持ったことは？」などで、一旦、「本当にそうか？」と疑問を持つことが問題意識の原点と思うからに他ならない。

さて、問題が見つかったら次のステップが「**構想力**」である。これは「問題解決に向けてどうするかを考える力」ともいえるもので全体の構想を立てることはもとより、優先度なども勘案し、具体的な立案や計画を立てていくステップだ。どのようにまとめ、今後の道筋を立てていくかであり、まとめ方次第で以降に大きく影響を及ぼす。

問題解決に向けた最後の段階は「**実践力**」である。これは「立てた考え方を実践に移す力」ともいえ、適切に表現し周りを説得したり、協調、調整を図りながら、周りを巻き込んでいくということになろう。そうすると日頃からの人間関係や、とりわけコミュニケーション力が問われてこよう。

「不満」を「問題意識」に変える

問題解決に際して大事なこととしてどのようなことが考えられようか。一つは「**周囲の環境に**

流されないこと」である。皆さんは「**もんだ族**」という言葉を聞いたことがあるだろうか。「これはこんな風になっているもんだ」……そうした考え方の人達を称しての言葉だ。そうなると現状の影に問題が隠れ見えなくなってしまう。加えて「周りもそうだから」という同調意識が働くとますますそれに拍車がかかる。いわゆる「流される」という働き方がそれにあたる。これから脱皮することが大切だ。

　更にもう一つ、大事なポイントがある。それは「**自ら働きかけること**」である。「誰かがやるだろう」「自分は直接的に関係がないから」という他人事意識が問題解決を阻む大きな壁の一つだ。そうして問題を他人のせいにすると、間違いなく「不満」を増殖する。これは物事を考えるベースとしての価値観が「**仕事が手段**」ということに起因する。即ち、「**○○してくれない**」という受け身の姿勢を表している。しかも原因は「会社が」「上司が」などというように、自分ではなく他人であり、そうすると「**不満が不満を生む**」という心の悪循環構造に陥り、結果、回り回って、自分自身を苦しめることになる。としたら、問題への向かい方を変えてみるとよい。出された問題は関係性の大小などの違いはあるにせよ、自分と多少なりとも関わっているはずだ。としたら「**そこで自分として何ができるか？**」……そうした考え方を持つのが本来の「**問題意識**」と理解したい。これは不満とは異なり、ベースになるのが「**周りに役立とうとする**」……本来の「働く意味」と合致する。「**仕事が目的化している**」といえよう。

そうして「会社の問題も自分の問題」というように、対象とする概念が広いことがわかる。どちらが本来の求められる働き手かはハッキリしている。後者である。もし、あなたが不満に身をおいている自分を感じたら、「仕事が手段化」している考え方を、「仕事の本来の目的は？」と問い直し、**自己変容**を図ることだ。そうすることで周りにも好印象を持たれる上に、確か、あなた自身もどこかで誇らしい自分を感じられるであろう。

なおこの考え方は、部下や後輩を持つ立場になると、より重要になる。何故ならあなたが部下に不満を伝えたとしよう。すると部下はどうするか？　確か、多くはその言動を真似る。というより、あなた以上に不満たらたらの世界は十分に想像できる。あるいは前向きの人はあなたから離れていく。「チームで成果をあげていく」のが、本来の役割であるにも関わらず、そうすると自らの首をしめることに繋がる。

「3つの言わない」の実践

これからの働き方、あるいは生き方として大切になるのが「**3つの言わない**」の実践である。

1つは「**他人のせいにして言わないこと**」。これは先述した不満と重なるので説明を省略する。

2つは「**過去のことは言わないこと**」である。これまでよい環境におかれ、それが見えなくなってくると、つい口につくのに「あの頃はよかった」がある。それを言って過去に戻れるなら、どんどんと大きな声で言ったらよい。だが、残念ながら私達は過去に戻ることができない。そうしたらどんなに苦しくても、ガムシャラにでもどう前を作っていくかだ。3つは「**できないとは言わないこと**」……これは今までのやり方を踏襲しての話ではないのか？　あらゆる可能性を考慮して検討をしているか？　時には全く別の発想からその問題と向き合っているか？　とにかく、その壁を乗り越えなければ生き残れないとしたら、歯を食いしばってでもやらなければならないのだから。人はおかしなものでギリギリに追いこまれると、不思議に新たな思いが浮かんできたりする。「できない理由」を探すのではなく、「できる方法」を考えるあなたでありたい。

なお、物事に取り組む場合に非常に重要なことの一つに**優先順位**がある。やることが同じでもこの選び方次第で結果は大きく変わる。重要度は「**緊急度**」と「**影響度**」の兼ね合いで決まる。前者は「解決に要する時間的余裕」といえるもので、後者は「問題の広がり度合い」を指す。もし、自分で判断できない場合は、ひとりよがりで行わずに上司なりと相談して行うようにしたい。仕事の現場で困る一つが「知ったかぶりをすること」で、失敗例をみるとこれが起因していることが多い。「聞くはいっ時の恥。聞かぬは末代の恥」とならないよう、気持ちに素直になり行動するようにしたい。

これは生き方についてもいえることだが、「**他人の知恵を借りること**」は、とても大事なスキルでもある。その為にも普段から「相談にのってあげたい」……そんな人になっていることが要求される。さて、あなたはどうであろうか。

同調行動に要注意

こうして多くの企業とお付き合いをしていると気になることがある。というのは第三者的な立場で聞いていると「将来のことを考え、新たな視点で問題と向き合っているな」と前向きに感じている人が、いつの間にか辞めてしまう(辞めさせる)企業がままみられることだ。どうも事情を聞くと「問題意識」が「批判」と映り、仕事のやりにくさ等もあり、退職への道へという流れにあるようにみえる。「当座しのぎにはよいかもしれないが果たして?」と、疑問を持つ私がいる。これが今後の企業にとって最も大事な部分を削いでいることがなきにしもあらずだからだ。確か、そうした組織風土だと思ったことが言えなくなってくる。そうすると組織が持つメリット面を活かせなくなる。

会議においてもそうだが、組織における対人関係としてよく**同調行動**が問題視される。これは「**人は声が大きい人間や多数派に同調する傾向がある**」ことを言う。これにも幾つかのことが考えられる。多数の意見に合わせる**屈従**や、皆と違う意見を言い仲間外れになりたくないという**同**

一化、更には**内面化**といって「上司のいうことは絶対」などと自分に言いきかせることをいうが、これらの考え方が広がると組織の発展性は薄くなる。問題は「発言をどう聞くか？」……その聞き方一つで対処方法が変わることに留意したい。その捉え方いかんが本来組織にとって必要な「問題意識を持つ人」を排除することに繋がり、「流される人」を増長させることになっているとしたら極めて怖い話だ。

ところで組織には「**御輿を担ぐ人**」と「**御輿に担がれる人**」がいる。主体性を持たない後者が多いとその組織は大変である。組織は「仕事をする場」であると同時に「人育ての道場」ともいえる。そして社員や部下は、会社や上司が「**育てたように育つ**」のだ。

そこでこれまで働く現場で多くの人と接し、そこから学んだことをひとつ。

「**部下はなかなか上司の言う通りにしないが、**
見事に上司のする通りにする」

「4つの誇り」を忘れない

ある研修に携わって

最近は何かと「〇〇ヘルパー」という言葉を耳にするようになった。時には「へぇ、こんなお助けマンの仕事もあるんだ」と時代の変遷を垣間見る思いを抱く。ところで私が農業者と関わるようになった一つに酪農ヘルパーがある。「酪農家にも休日を」ということで、国のバックアップのもとでスタートをした制度で、私は今から20年ほど前に、この養成研修の講師として声をかけていただいたことに端を発する。そうした研修を企画したり、利用組合の経営のサポートなどを行う団体に一般社団法人酪農ヘルパー全国協会がある。その十勝地方の窓口になり、ヘルパー業務を担当しているJA職員の方から相談を受けた。ただその時は、恥ずかしいかな、私はその名称さえ知らなかった。そうして説明を聞き「何かと色々な仕事があるものだな」といたく感心したのを覚えている。

この研修は酪農の体験を軸に1〜2週間の宿泊を伴う研修になる。それで内容等を尋ねてみると、搾乳の仕方に始まり、飼養管理や乳房炎の病気に関することなど全て牛と関連していた。「農業を知らない私が何をお手伝いするのですか？」と率直に尋ねてみた。「えぇ、利用者である酪農家から、最近、『打ち合わせの時の態度が悪い』とか、『仕事が終わったあとの満足な報告がない』など、コミュニケーションに関するクレームが増えてきており、先生の力をお借りしたいと思いまして」ということだった。

最初に講義に伺った時には、少々、驚いた。私は「酪農ヘルパーはサービス業」と常々、思っているのだが、受講者の中には身だしなみがいかにもだらしなく、態度も横柄な人達が目についたからだ。私が酪農家なら、我が子同然に育ててきた大事な牛を彼らに預けたくないだろうなと感じた。とはいえ当時、私は40歳代。多少おっかなビックリで、遠回しの言い方をしながら、何とか無難に終わるのがやっと。正直にいうと、慣れるまではかなり気持ち的に重たい時間帯であった。

第一印象と「コミュニケーションの3アイ」の重要性

この研修で私は開講式のすぐ後に登場することが多い。受講者間の人間関係があまりできていない段階で「コミュニケーションの重要性」などをタイトルにして。まだ互いに緊張感が漂っている時で、少し、緊張をほぐす意味もあり、あえてあまり話をしない内に、ぶっきらぼうにこんな質問をする。「皆さんの前にいる講師の私ですが、さて年齢は？　好きな色は？　趣味は？　性格をひと言で表すと」というように。そして隣席の人とペアで2分程度、話し合いをしてもらう。そのやりとりが終わったのを見計らい、こう尋ねる。「あなたに聞きます。こうして初めてお2人で話をして、この人の隣に座って良かったと思いますか？」と。突然の質問にキョトンとした表情を浮かべザワツキだす。

そこで「もしかしたらそれは、席に座った時点で決まっていたかもしれませんね。即ち、言葉を発する以前の**第一印象**です。これは『**目から作られる**』と思ってください。そしてこれが怖いのは、もしその印象が悪かったとしたら、そこから先は『この人にはもっと悪いところがあるはず』という心理が働くのが一般的と思ったほうがよいでしょうね。となると、それを良いほうに変えるには、多くの時間とエネルギーを要します。としたら、初めて会ったその瞬間を大事にすることです」と。

「皆さんがヘルパーとして酪農家のところに初めて打ち合わせに向かう。さて、その時のあなたはどうですか？」と自らを振り返る機会にする。更に次のように話を繋ぐ。「その上で2分間を使い会話をしましたね。私はそのやりとりで大事なことに『**コミュニケーションの3アイ**』があると思います。会話の中で必要な『あい』で始まる3つは何だと思いますか？」と。それは

「挨拶」「相槌」「アイ・コンタクト」なのだが、その答えを引き出し、併せて、それらが人間関係において「何故、必要か？」を説明する。そうして結論はこうだ。「先ほどの答えなのですが、皆さんの第一印象がよく、この『コミュニケーションの3アイ』が相互に行われているとしたら、『この人の隣に座って良かった』と思うのではないでしょうか？」と。

これらは酪農ヘルパー業務を行う中で極めて重要なスキルと思うからだ。「牛の取り扱いの前に、よき人間関係が築けるかいなか」、それが仕事の質に間違いなく直結する。そしてこのコースに何故、コミュニケーションの内容の講座が組み込まれたかを話すと納得度合いが更に増す。こうしてその意味を自分の腹に落とすと聞く姿勢も変わってくる。こうなったらしめたもので、これも何かと試行錯誤をしてのものだ。まさに**「経験に勝る学習なし」**である。その後におもむろにペアで考えていただいたことを話題に自己紹介に代える。

人間関係づくりに必要な「5つの約束事」

受講者の多くは、新卒をはじめ社会人としての経験が浅い方であり、一般的な新入社員研修で話をするマナーや、働き方などを軸に展開していく。中でも可能ならできる限り、取り上げるようにしているのが**「5つの約束事」**である。仕事に関する能力がいくらあっても、ベースとして人間関係がうまく築けなければ、せっかくの能力を生かすことは難しい。そこで人生の先輩として、人間関係において、至極、当たり前の次の5つを強調する。

5つの約束事

- 挨拶をする
- 返事をする
- 後始末をする
- 時間を守る
- メモを取る

である。そして挨拶とお辞儀の練習はもとより、頂戴をしている受講者名簿で意識的に名前を呼び、返事がない場合には注意を与え、「何故、返事が必要か?」についてコメントをする。また、この「5つの約束事」を伝える場合、「メモを取ること」を最後にもっていく。これにも意図があり、その言葉を聞いて、慌てるようにペンを持つ人がいたりする。それを目ざとく見つけてこんな風にフォローさせていただく。「今、何人かの人が、気づいてメモをとってくれましたね。素直に聞いてくれて有り難う。ただ、どうですか? どこかで気持ち的にスッキリしないのではありませんか? 実は私もそうなのですが、『他者から命令され動く』のは、面白くないものです。もう皆さんは学生ではなく社会人です。としたら、『言われたからやるのではなく、必要なら自ら』のような前向きさが求められます。大事なことは『**学校時代の甘い気分を先に早く抜いた方が社会人としては勝ち**』といえるでしょう」と。

そうして少しずつ社会人らしく変貌していく彼らを感じる。それが私自身のモチベーションアップに繋がっていく。だから当初は足が重かったこの講座だが、今は向かうのを楽しみにしている。なお、その過程で私が気を配っているのは、「**上から目線**」にならないように努めること。最近の若者達はそれを感じると、微妙に目には見えない距離感を作っていく可能性が高いからだ。そして少しでも改善が見えた時には、すかさず「頑張りましたね」などと肯定的メッセージを送り背中を押す。私はこのように〝**寛厳自在**〟をベースに据えて講義をするよう心がけている。

意識は行動の原点

時間が許せば「仕事をするに際し、どのような意識が必要か？」も考えてもらう。その一つに「**3つのプロ意識**」があるが、プロというと一般的に「**プロフェッショナル意識**」をイメージするのではなかろうか。勿論、それも大切なのだが、私はそれに次の2つを加える。それは「**プロフィット意識**」と「**プログレス意識**」である。前者は「利益」と訳され、企業はこれがなければやっていけない。それと関連し、その裏側にあるコスト意識も強調して。後者は「進歩」のことを意味し、常に現状にあぐらをかくことなく、改善・改革を念頭におき進むことを指している。また、意識に関しては別の視点から「**自分事意識**」と「**他人事意識**」も欠かすことのできない話題の一つだ。

企業規模が小さい時には自分の行動が組織にはね返りやすく、自分事になりやすい。だが、規模が大きくなるにつれて、他人事へと移行していく。「それは会社の問題」というように「会社は別物」となりやすい。消耗品一つにしても、自分のものであると粗末にしないのに、会社のものなら安易に考え、扱いが雑になる。あるいは隣の部署の電話がなっても素知らぬふり。こうした考え方が広がれば広がるほど、その組織は怪しくなる。だから私は、

「他人事意識は組織のガン」

と定義づけたりしている。しかも厄介なことに、この他人事意識は何かと伝播しやすい。一組織人として「自分はガンに侵されてはいないか？」を時々、振り返るあなたでありたい。

「4つの誇り」を持った働き方を

講義の締めは「**4つの誇り**」である。1つは「国民の食に関わる農業者としての誇り」を持つ

ことだ。「**自分の業界なり仕事に対する誇り**」……これがなければよい仕事には結びつかない。

2つは「**自分の所属する会社や組合などに対する誇り**」である。自分の意思で選んだ企業だ。その期待に応え貢献をしていく……これも豊かに働くには必須の条件といえよう。3つは同じ会社に勤めているにしても、その職種等は異なる。その中で、酪農ヘルパーという**職種に対する誇り**を持てないようならどうしようもない。それでなければ扱われる牛が気の毒ではないか。最後に、こうして誇りある業界、組織、職種を選択した「**自分自身に対する誇り**」である。

以上、私はこれを「4つの誇り」と称し、その時々で検証するようにいう。こう考えると、今日、働き方改革が声高に叫ばれる中にあって、酪農ヘルパーは酪農家の方々の「働き方改革の騎手」ともいえる。その為にもまずは「自らが仕事を楽しむ」……「**楽農家**」という感覚を持ちたいと伝える。ところで、これまでは酪農ヘルパーを例に話を進めてきた。

だが、考えてみるとこの4つは他の業界においても大なり小なり重なるところがあるはずだ。就職の際における面接を思い出してみるとわかる。確か、この4つの誇りに関する項目は、そこで似たような質問をされ、その上で採用されたあなたがいるのだから。としたら、なんのことはない。これを実践するということは、その時の約束を守っていくことともいえる。「誇り」が「埃」をかぶらないようにしたいものだ。

「最小律の法則」が持つ意味

「酪農ヘルパーはサービス業だ」といったが、サービスの語源はラテン語のセルヴィトゥム(servitium)からきている。これを直訳すると「奴隷働き」となる。だが、それがサービスと考えるといかにも寂しい。今日だと下手をすると「カスタマー・ハラスメント」に繋がる可能性すらある。私はサービスの醍醐味は「サービスの提供」により顧客から笑顔などをもらい、提供した側も「他人に役立つ」という〝仕事本来のあり方〟に喜びを感じ、好循環のサイクルに結びつく……そうした双方向性の上に成り立つと思う。

その場合、働くのに伴う一つに「**最小律の法則**」があることをぜひ理解したい。これは「**最も小さなものが全体を律する**」ということを意味する。どんなに周りが良くても、たった一人のあなたの言動が、組織の信用を失墜させ、ひいては「業界のイメージを崩すこと」にもなりかねない。となると新入社員といえども、働く者一人ひとりが「**組織の代表者**」なのだ。

実はこれは全ての業界、企業なりにも共通するように思うのだが。

第3章

行動する

「4つの方」プラスワン

求められる「積極的な心構え」

皆さんはどこかで「**メラビアンの法則**」というのを耳にしたことはないだろうか？　これはコミュニケーションの話になるとよく話題として提供される。アメリカの実験心理学者であるアルバート・メラビアンが「コミュニケーションをとる為に何が一番大切か？」という実験・調査をした。その結果、次のように結論づけた。コミュニケーションの内、非言語にあたる「**態度**」が55％、言語によるコミュニケーションでも、声の大小や明るさなどの「**話し方**」が38％、そして実際の「**話の内容**」は僅か7％と。特に私はこの法則については、社会生活間もない新入社員にする場合が多い。仮に研修の場としたら、まずはこの概略を説明し、こんな風にいう。「この内、今、皆さんが求められて困るのはどれですか？　間違いなく『話の内容』なのではありませんか？　私達、新入社員は仕事の内容を問われても困りますよね。でも心配しないでください。それは全体の1割にも満たないのです。それよりもここに注目してください。『態度』が半分以上を占め、それに『話し方』を加えると、なんと9割以上が決まるといっているのですから」と。そうすると非常に大事になるのが態度や話し方である。

そこで求められるのが「**積極的な心構え**」だ。好感をもたれる態度や話し方ではこの有無が問われる。新入社員の頃から積極さが感じられないようなら問題だといえる。私は「就職」を次のように定義づけている。**『就職をする』とは、あなたの持っている能力と人柄を企業に買ってもらうこと**」と。その結果、こうして社員として迎え入れられたのだ。としたら、仕事ができないのはよしとしても、それなら尚更に、気持ちくらいは消極的であってはほしくない。そこで大事になるのが「**三意**」、即ち、「**熱意・誠意・創意**」である。新入社員の頃からこれが欠けているようでは、早晩、あなた自身が苦しむことになるのは間違いない。

「4つの方」の習慣づけを

「積極的な心構え」として今、すぐにでもできるのが、ここで紹介する『**4つの方』プラスワン**」である。

まずは「**座り方**」である。あなたが何かの研修を受講したとしよう。さて、前の席をめがけて座るか、それとも逆に後ろの席を目ざとく見つけて座るか、どちらであろうか？　長年、講師などをしていると、そこにはある種の共通点があるのに気づく。一般的に役所関係や、第2の役所と称されるJAなどは後から詰まるパターンが多い。私はこれを「お役所スタイル」などと称している。もう一方、成長企業といわれる事業所は概して前から席が埋まっていく傾向が強い。この違いはどこにあるのだろうか？　私はそれをこんな言葉で表現する。前者は「**時間消化型**」といい、「聞いていればいいのでしょ」などの気持ちが働いた結果であり、逆に後者を「**業務創造型**」といい、「話の中から少しでも何かを持って帰ろう」などの気構えを表しているともいえる。そうすると、どちらから座るようにしたらよいかは自ずと明らかであろう。ただこれは口で言うほど簡単ではない。実は私もかつて国鉄職員だった頃、「何とか後部の席が空いてはいないか？」というタイプであった。だが、診断士として独立した頃からできる限り、前の席を見つけ座るように心がけている。しかし、慣れるまでにはかなりの時間を要した。何せ眠ることは許されないし、いつ講師から質問がとんでくるかもわからない。私のように「眠そうにしている」と感じたら、あえて質問をする嫌みな講師だっているのだから。だが、それを乗り越え前に座ると、良いことがあるのに気づいた。研修への向かい方が違うから当然なのだが、インプットの量が増えることは間違いない。また、場合によっては講師と仲良しになることも可能だ。同じ時間、座って聞かなければならないのには変わりがない。ならば、「その時間が生きるようにする」……これが前向きというものだ。

2つ目は「**話し方**」である。ボソボソと元気のない話し方では相手に失礼である。その上、視線も伏し目がちで顔もあまり見ようとしないなどとなると、相手に伝わる熱量は当然、低くなる。また、滑舌などにも留意をし、とにかく「明るく元気に話すこと」を心がけたい。

3つ目は「**聴き方**」である。ここで「聞き方」ではなく「聴き方」といったのがミソである。即ち、「hear」ではなく「listen」ということだ。「話し上手は聞き上手」というではないか。コミュニケーションの是非は「きき方によって決まる」と言ってよい。その為には腕を組んだり、後ろぞりになって聞く聞き方はNGである。**ボディ・ランゲージ（身体言語）**といい、あなたの気持ちがどうであれ、相手を拒絶する意味に受け取られる可能性が高い。

また、相手の目をみながら、相槌や頷きをいれ聞くようにしたい。「人は何故、口が1つで耳が2つか？」……これは「まずは聞きなさい」という神の思し召しかもしれない。4つ目は「**歩き方**」だ。成長している企業の工場などに伺うと、その俊敏さに驚かされる。「あんなに早足で」と思うくらいの動き方になっていたりする。これも積極的な気持ちの反映ではなかろうか。

笑顔に勝る化粧なし

「積極的な心構え」を培う意味で、これまで述べてきた「4つの方」にもう一つ、プラスをしたいものがある。それは「**笑顔**」だ。ちなみにあなたに聞きたい。「今、自分の顔が見れますか？」と。誰でも他人の顔は見えるが自分の顔を直に見ることはできない。としたら「顔は他人に見せる為にある」と理解した方がよさそうだ。更に聞きたい。としたら「ニコニコ笑顔と、ブスッとぶんむくれている顔とどちらが好きか？」……よほどの変人でもない限り、前者と答えるはずだ。この「ブス」は「毒」に通じる。笑顔がないのは社会の毒くらいに思ったほうがよい。エディソンはこんな言葉を残している。「**人間は笑うという才能によって、他のすべての生物より優れている**」と。なお、笑顔というと、口元に焦点がいきがちだが、本来の気持ちの現れは目元ともいわれている。口が笑い、目が笑っていない表情を想像してみるとよい。なんとも奇妙なものに映るはずである。「目で笑えてこそ本物」と肝に銘じたい。「**商は笑なり勝なり！**」という言葉がある。「商いは笑顔、笑顔に勝るものはない」。弔事などの特別な場合は除き、「何がなくても笑顔は届ける」……それを目指す私達でありたい。なお、時には次のことも思い出してみるとよい。「**楽しいから笑うのではない。笑うから楽しいのだ**」と。この言葉が持つ意味は深い。

ところで私は開業間もない頃、仕事が満足になく、段々と腐り気味の自分を感じていた時に、「しんどい時だからこそ笑顔だけは忘れないようにしよう」と、自らを鼓舞させる意味で作った詩がある。それをご紹介をしよう。今もその頃を思い出し、時々この詩から勇気をもらっている。

【笑顔三徳】

笑顔には三つの徳がある。

一つは自分への徳。
どんなに心が悲しく塞いでいても
笑顔でいると
やがて楽しい自分が又、かえってくる。

二つは他人への徳。
トゲトゲしくぶつかりあった心にも
笑顔でいると
やがてすがすがしい仲が又、戻ってくる。

三つは社会への徳。
人間砂漠が進む世の中でも

笑顔でいると
やがて大きな人の輪が又、よみがえってくる。
笑顔……それは神様が人間だけに与えてくれた
大切な贈り物。
だから今日も笑顔でいよう。

ゲラゲラ、クスクス、ウッフッフ
それにも色々あるけれど
とにかく笑顔で暮らしたい。

笑顔をくれて有り難う。
笑顔をあげて有り難う。
笑顔万歳
笑顔万歳
笑顔の自分に今日も乾杯！

話し手に問われる誠実さ

「メラビアンの法則」に絡み、話し方やプレゼンテーションについても若干、触れておきたい。まず問われるのが「**誰が話すか?**」である。そうすると外見や態度などに気を配る必要がある。身だしなみがだらしない人の話をあなたは聞きたいと思うだろうか? その上で次に求められるのが「**どのように話すか?**」である。声の大きさや明るさ、あるいは流暢さや間《ま》などが重要になる。大事な点はゆっくり話したり、繰り返すことなども一つである。即ち、「話し方」が2つ目のポイントになる。最後に実際の話の内容、「**何を話すか?**」となる。どんなによい内容の話であったにしても、それ以前の態度や話し方が良くないと生きてこない可能性が高い。

その人が醸し出す人柄等が大きく影響することを忘れてはならない。なお、饒舌多弁が私は一概によいとは思えない。そこには大前提として「誠実さ」が要求される。それが感じられないと、単なる「口達者」と思われ、逆にみられるきらいさえある。

以前、ある団体の研修で私が司会とコーディネーター役を承った時のこと。「成長企業に学ぶ」ということで3人の社長の話を伺った。弁舌爽やかで「さすがに成長している企業のトップは違うな」という思いで聞いたのだが、最後に登壇した社長は違っていた。ある雑貨販売などを営む30代の方だったが、みるとその仕草等から「気の毒に」と思うほどに緊張が伝わってくる。原稿を読み上げる手も震え、前に話された2人の流暢さ等と比べると、話もたどたどしく、不慣れなのがみえみえだ。「私はこうした場は滅多になく、社員にも心配され、何度か彼女達を前にリハーサルをしここに立っています」と。それでも何とか無事終了し、講師への受講者の感想を聞き驚いた。ダントツに好評だったのが、緊張感丸出しの社長だったのだ。確か、彼の発する誠実さ等が伝わり、それが共感性をよんだのではと感じている。「**話す側に求められるのは人柄にある**」と改めて教えられたような気がする。

また、プレゼンテーションは一般的に「**導入**」から始まり、本論に当たる「**展開**」、そしてまとめとしての「**終結**」という流れになる。各々、3つくらいに絞って話すようにすると良い。それが相手に伝わり易いからである。

加えて、展開部分では、順を追って説明し結論に向かう「**演繹的な構成**」と、もう一方、結論を先に出し、その後に説明する「**帰納的な構成**」の2つがあり、前者は聞き手が順序に沿って話すので、聞きやすく分かりやすい利点がある。後者はポイントを逃さずに聞くことができるというように、各々一長一短があり、どちらが話題に馴染むかを事前に検討し話をすると良いであろう。

「非真面目発想」の勧め

「マジメ」における3つのタイプ

人のタイプ分けにも色々ある。ここでは「マジメ」をキーワードに考えてみたい。それには3つあるように思う。「不真面目」「生真面目」、それに「非真面目」である。

この内、どんなに時代が変わっても嫌がられ、よしとしないのが「**不真面目**」である。企業にとっては「早く自主的に辞めてくれないか？　関係性を一刻も早く切りたい」と思われる人であろう。仲間からも敬遠され、そうした環境の中だから、孤立感を増し、益々、その不真面目さが加速化し悪循環になる。

次に「**生真面目**」がある。これは言われたことはただひたすらに黙々とやる人で、とても頼りになる。「職人気質」という言葉がどこかで似合うタイプかもしれない。職場の戦力として、環境変化が少なく、平時の時には重宝がられるが、有事の時などになると、逆にその真面目さが邪魔をする時もある。それなりの枠の中で、従来のあり方が通用する時は熱心で、大変有り難い存在なのだが、その枠の外から物をみたり、考えたりするのが難しいタイプで、物事の改善が精一杯くらいかもしれない。

そこで貴重な存在として浮かび上がってくるのが「**非真面目**」である。これは仕事も真面目に取り組む上に、発想等が柔軟で幅広い角度から物事に対処できる人である。例えば、コロナ禍で苦しむ飲食業に従事しているとしよう。店内における働きっぷりは抜群で非の打ちどころがない。だが、予想もしない新型コロナにより環境がガラリと変わった。その時に従来のように、店内だけの対応で懸命に知恵を絞り頑張るのが「生真面目」で、「非真面目」は、店の中での対策も考える一方で、既存の枠のみにとらわれず、食材を調達する製造業者や、あるいは巣ごもり生活を送る消費者の視点にもたち、時には彼らを巻き込んで販売のスタイルを変え、オンライン販売やデリバリー等についても発案する。更には、これまでの競合店同士でタッグを組み消費拡大に繋げてコラボしていくなど、大胆なやり方をしていく人でもある。「**異種発想に立てる**」、改革につながる働き方をする人ともいえる。

かつてよく耳にした言葉に「**ボーダーレス**」がある。私はこれを「**際《きわ》がなくなる**」と称している。国の際を始め、地域の際、業界の際、更には男女の際など、以前には当たり前であった「きわ」が薄らぎ、なくなっていく。今後はデジタル化の推進などにより、益々、その様相に拍車がかかっていくことは明らかだ。

そうするとそれに向けた2つの大事なポイントが浮かんでくる。一つは従来からの「**枠はずし**」と、もう一つが、その上に立ち新たに「**繋ぐ**」ということである。これから豊かに働く為には大事な考え方とも思われる。

発想を変えると道が拓ける

私自身もこれまで、体験を通じてそれに関し教えられたことがある。診断士として看板を掲げた当初、釧路市民の台所といわれる和商市場や、北海道観光の代表的なスポットの一つである函館朝市などの協同組合に招かれ講演等をさせていただいた。今、考えると、商業体験が全くない身でもあり、大変申し訳ないのだが、診断士テキストに書かれていた内容の請け売りで、「商業者はいかにあるべきか?」などについて、資格を持っていることをよいことに図々しく語っていたように思う。

だが、正直な気持ちとしては語る私も大変である。「知ったかぶり」をする気まずさと、それを見せまいとするとプレッシャーが重くのしかかる。確か、その思いは聞く側にも伝わり、受講される方も大変だったのではなかろうか。

そこである時期から、開き直り的に発想を変えてみた。「商いが成り立つのは消費者がいるからだ。としたら消費者の視点から『こんなお店を望みたい』くらいの姿勢でいうのも一つではないか?」と。私には商業者としての顔はないが、消費者としての顔はある。そうした視点で語ることもできると。タイトルには「隣の店はうちの店の発想を」とか、「『売る商い』から、『買う商い』へ」など、「**商業者は消費者の購買代理人**」……それを基本に据えて。あるいは「**儲け**」をもじりながら、「信者を増やすこと」や、その為には「人と者の間に『言う』があり、コミュニケーションが重要な切り札」など。すると話す私も楽である。それまでのように商業体験がないにも関わらず、さもそれを知っているように話すのはシンドイが、消費者の側からだと無理にかしこまらずに話せるではないか。受講される方にもそのほうが心に響きやすいのを肌で感じた。

もう一つの例を紹介しよう。開業当初、多くの先輩方から「経営コンサルタントでやろうとするなら労働組合の体験は隠したほうがよい」という助言もあり、当初はそれを忠実に守っていた。だが、ある町役場から職員研修で「国鉄職員から診断士として独立。その生きざまを職員に刺激を与える意味で話してほしい」と依頼を受けた。その趣旨からいえば、私のキャリアともいえる労働組合活動について触れざるを得ない。語り終えた後に、それを聞いていた町長からこんな話をいただいた。「先生の経験は非常に面白く、参考になる。ぜひそれを売りになさったらどうですか?」と。当たり前のことだが、私の経験は「私だけにしか語ることのできない」……としても貴重な財産だ。これは皆さんも同じである。ならば、素直にそれを受け入れ、表に出した方が心に届く。それを感じてから、以降はガラリとスタイルを変え今日を迎えている。

フィードバックの重要性

ついでにもう一つこんな話を。農業を全く知らない私だが、最近、とみに農業者から声をかけていただく。令和2年2月、札幌で指導農業士の方々に講演をする機会を頂戴した。失礼とは思いつつも、切り出しはこんな感じで。「こうした機会にお招きをいただき感謝に堪えません。ただ、冒頭、お断りをしておきたいことがあります。私は全く農業のことは知りません。もし農業のことを聞きたいなら別の講師の方を呼んでください。ただ、そんな私ですが、皆さん方にはない強みを持っていると思っています。それは『農業を知らないこと』です」と。

これは農業者に限ることではないが「**知っているがゆえに見えていない**」ということはままある。例えば、農業者は総じてマナーには疎い。これは致し方のないことかもしれない。農業者はある程度の農業法人等は別にして、役所や民間の企業などとは違い、一般的に新入社員研修などの機会はない。その多くは家族経営であり、親をモデルにして育っていく。これは観察学習の一つである「**モデリング**」といわれるものだ。だがその父もマナーなどを学んだことはない。自己流で、もしかしたらその必要性さえ感じていないかもしれない。だが、これからの農業者は、そうした生産者発想だけでは経営が難しい時代にさしかかっている。自らも営業する時代がやってこないという保証はどこにもない。そうするとマナーなどは人間関係の基本として最低でも身につけたいものだ。それで私は、これからの農業を支えていく青年達に、あるいは農業に携わろうという担い手の方々には、マナーに関する話を必ず入れるように心がけている。こうした目を持ち農業関係の事業所を訪れると、次のようなことが垣間見られる。ようやく農場に到着したにもかかわらず、広い土地ゆえ、なかなか事務所が見つからない。その上、「ふれあいファーム」などとして、消費者にきていただこうと思っている農場であるはずなのに、外回りが汚かったり、玄関に靴が散らばり放題などという例も多い。確か、これらはそこで働いているものにとっては至極当たり前の光景であり、「農場を訪れる者がどう感じるか?」など、顧客との接点が薄いがゆえに気がついていないと思われる。それを第三者的な立場から率直に発信をし「**当たり前レベルをあげよう**」などと提言したりする。どこかで「生意気な」と思われるかもしれないが、そこは〝私が持つ個人的な役割〟と割り切りながら。それはあら探しではなく、その農場の今後に期待をこめてである。なお、もしかするとこの考え方は、そのパートナーであるJA職員にも「元気さや笑顔に欠ける」など似たような側面があるかもしれない。一度、顧客や利用者などの視点から互いに己を振り返ってみる勇気を持ちたい。

このようなやり方は農業者のみに限らない。自分達のところしか見えていない「○○**バカ**」といわれないようにすることが企業としては大事なことであり、「企業の為に」と思い、できる限り発信をするように心がけている。ただ、そうした**フィードバック**を行う際、私が日頃、気をつけている点が幾つかある。1つは「**相手の為になり、相手が変えることが可能なことを**」である。2つは「**私にはこんな風にみえる」というように、〝評価的ではなく記述的な表現〟**で。3つは「**否定的なことばかりではなく、むしろ肯定的なことも積極的に**」……そして肝心なことは「**変えるかどうかを決めるのは相手であること**」を心に持ち、やりとりをすることだ。そうして感じている思いを返してあげる、即ち、この「フィードバック」と、相手に心を開き素直に自分を伝える、「**自己開示**」とは、「自分を知る」という、人間関係の向上に役立つ2つの重要な視点であり、頭の片隅においておくとよいであろう。

重要なことなので重ねていう。

「フィードバックは自分の思いを相手にぶつけることではない。相手の役立ちの為にするものだ」

「行動」に焦点をあて、「感情」と友達になろう

コミュニケーションにおける「聞くこと」の重要性

皆さんは「親業」という言葉を聞いたことがあるだろうか。また、その言葉にどのような受け止め方をされるだろう。私はこの言葉を初めて聞いた時に「これって何？」とピンとこなかった。これを知ったのは私の母校である産業能率大学の経営開発本部委嘱講師をしていた時、その講師陣に配布された小冊子である。主婦業という言葉を耳にしたことはあるが「親業」は聞いたことがない。そこで、もしかすると保育士（当時は保母と言っていたが）の妻なら知っているかもしれないと思い尋ねてみた。「詳しい内容は知らないけど、言葉としてなら聞いたことはあるよ」という返事であった。

これはアメリカで1950年代、学校現場が荒れ、「理由なき反抗」「暴力教室」などの映画が話題になっていた頃、問題を持つ子供達にカウンセリングを行い、幾つもの成功例を積み重ね編み出されたアメリカの臨床心理学者トマス・ゴードン博士が開発したコミュニケーション手法

くらいになろうか。正式には「Parent Effectiveness Training」といい、直訳すると「**親効果訓練**」となる。問題児の裏には問題親がおり、その関係性を変えていくこと……その辺がベースにあるといえようか。

こうして講師陣に配布され紹介をされているということは、確か、産業現場にも役立つはず。その為には、まずは自らが体験する必要があると思い、わからぬままに親業訓練を受講した。受講者の圧倒的多くはお母さん方で、男性陣は極めて少ない。ワークを軸とする訓練で、おぼろげながら見えてきたのは、とにかく、親の権力をかざし子供に接するのではなく、その人格もしっかり認め、その為には「聞くことの大切さ」が基本なのだな、と。としたら、自分が勉強をしているカウンセリングと重なるところがある。ただ「訓練」とあるからには「**頭で覚える**」よりも「**体験を積む**」ことが大切と思い、何度か受講した。そうして回を重ねるうちに、親業では「親と子」の関係性の中でのやりとりが中心だが、この考え方を「上司と部下」、あるいは「教師と生徒」などと立場を置き換えることにより、幅広く使えるように感じた。

「気持ち」を聞く難しさ

「どうせここまできたなら」とインストラクター資格にチャレンジすることにした。私としては受講の延長線上くらいに軽く考え向かったのだが、それが甘かった。その厳しさに「金を支払って何でこんなに叱られなければならないんだ。もうインストラクターの資格などいらない。このまま、中途で帰宅しよう」とも考えた。教える人は女性の方で、私よりもはるかに若い。その人に「石田さん、今、この人の言いたい気持ちが何かわかる？」……とにかく、そうした言葉が心にささり、自尊心が人一倍強い私にとっては苦痛以外の何ものでもない。そうなる最大の要因は、コミュニケーションを取る時、発せられた言葉のみに反応し、その裏に隠されている感情までに気持ちがいっていないからなのだ。頭ではわかるのだが、自分にとって、この「気持ちと向き合う」のは大の苦手。というより、これまでもそれが嫌で、意識的に避けてきたきらいさえある。義理の中に育ち、どこかでそれを日々抑えられてきたからなのであろうか。ただ人間とはあさましいものだ。こうして実際に何度か訓練を受講したことと、インストラクターに向けた研修の受講料を考え、なんとか歯を食い縛り耐えた。

　人は社会の発展につれ、コミュニケーションの手段として言葉を手に入れた。だが、それと引き換えに大事なものを失ってきたともいえる。それは「気持ち」、即ち、「感情」である。言葉を使えない赤ん坊や、ペットを飼った時などのことを思い出すと理解しやすい。「今、何を望んでいるか？　どんな気持ちでいるのか？」と、一生懸命気持ちを読み取ろうとするではないか。だが、そこに言葉が登場すると、これまで「相手の気持ち」に向かっていたのが「相手の発する言葉」に引きずられてしまい、感情がおろそかになる。コミュニケーション上、忘れてはならない重要な視点である。

研修ではつい表面的な言葉上のやりとりになりがちな私のコミュニケーションにおける癖を、しつこいほど注意された。それでも修了の際には「よく頑張りましたね」と褒められたりもし、逆にこれまでの苦しさが消え、それが〝やったー感〟に変わった。

インストラクター資格を手にしたのは五十路に差し掛からんとする頃であったが、当時、北海道にいた20名ほどの一人として、親業訓練の開催はもとより、教育関係などで随分とお話をする機会をいただいた。そんな意味では、多少なりともその普及に貢献をしてきたのではと自負している。なお、そんな私の影響を受け、その後に妻も同様にインストラクターの資格を取得。産業カウンセラー同様、二人三脚で歩むことになり、今思うと、そうして思いを一つに夫婦で向かうことができたのは、生き方としては幸せなことだったように思う。

「他人の成長」を「自分の喜び」に

その後、短い期間ではあったが、私はある中学校で生徒達の相談業務のお手伝いをしたことがある。その一人にY子がいた。とにかく、突っ張り屋さんで、言うことは生意気で、よくてこずらせてくれたものだ。相談室では姐御肌で、訪れる生徒の、ある意味ではリーダー役を担っていたといってよい。でも相談を重ね、顔を合わせる時間が増えるにつれて、少しずつではあるが心を開き始めた。やはりY子がこうなる背景にも、大きくこれまでの親子関係のありようなどが影響しており、親への反発心などを受け止めてあげ、気持ちを共感するように接した。

やがて彼女は中学校を卒業し、私も相談員を辞め、5年ほど経った頃のことになる。地元でのカルチャースクールで、親業に関連した講座をすることになった。なんと、受講者の中にY子がいるではないか。その時は既に1人の子供の母親になっており、もう中学校の頃の面影は全くない。立派な母親となっており、彼女の成長を目の当たりにして嬉しかった。この講座がその後の子育てにいくらかでも役立てたならこの上ない喜びである。彼女はどうやら新聞広告の中に、講師としての私の名前を見つけ応募してくれたようだ。私がかつて憧れていた職業は教師だったが、Y子のお蔭でほんのちょっぴりそれに似た感情を味わうことができた。

せっかくの機会でもあり若干、親業訓練のさわりを紹介をしよう。その柱としては、大きくは3つ。1つは「**能動的な聞き方**」で、聞き手に回る重要性を体験にて学習する。2つは「**わたしメッセージ**」といい、相手の嫌だと感じる行動などの際の発信方法である。「あなた」を主語にではなく、「私はこう感じる」とか「私はこうしてほしい」などと「わたし」を主語に伝えることである。親業訓練におけるもう一つの柱が「**対立を解く**」。この対立にも〝親子間の欲求の違い〟からくる「**欲求の対立**」と、〝親子間の信条や価値観等の違い〟からくる「**価値観の対立**」などがあり、それにどう対処していくか、これも極めて重要である。

こうしたことを訓練を重ねる中で、「間違った対応に気づく」など紆余曲折を繰り返しながら、関係の改善等を図り、やがてそれなりのコミュニケーションスタイルが身につくことを目指すということになろうか。

これら3つを軸にしながら、知識ではなく体験で学んでいくのがこの親業訓練である。実際に私が親業訓練でインストラクターを行った際にも、やりとりの過程を通じて「学校に行くのを拒否するわが子が悪いのではなく、むしろ親の私の問題だったのかもしれない。わが子を苦しめ、申し訳ないことをした」などと、自分のコミュニケーションの癖に気づき、涙する人もいたりする。これ以上の詳細は、今、私は親業から離れている立場でもあり省略をするが、ご興味のある方は親業訓練協会に連絡を取られるとよいであろう。

この親業訓練だが、私は結局、人間関係の基本である、

「あなたも大切、私も大切、関係も大切」

にいきつくように思う。それをどう日頃から築いていくかだ。その為に大事なことは褒めるにしても叱るにしても、性格等に触れずに〝**行動に焦点を当てること**〟と、単に言葉のやりとりを行

うのではなく、その底に眠る〝**感情と向き合うこと**〟の大切さだ。そこで私が普段からより良い人間関係づくりで心がけているのは、

「行動に焦点を当て、感情と友達になろう」

である。当初は意識して行うことになるがやがて意識をせずできるようになった時、「身についた」ことになる。そうしたよい癖づけをしていくようにすることで、いつしか周囲の景色も変わってくる。この頑固な私の自我を、変える役割を果たした一つには、間違いなく、この親業訓練との出会いがあった。そうした一連の私の経験からいえば「**親業は自分業**」……そんな風に思えてならないのだが。

こうした経験から今、改めて実感している。

「人育て」は「自分育て」

「今を生きること」は「未来を拓くこと」

と。

皆が「エッセンシャル・ワーカー」の誇りを

自信を生む資格取得

診断士をはじめとする資格取得は、独立などは全く視野になく、当初は労働組合や議員活動の少しでも足しになればという思いからであった。まさか、その資格が自分の半生の飯の種になるとは思ってもいなかった。まさに「たかが資格、されど資格」である。あなたも機会があり、興味のあるものがあったら積極的にチャレンジすることをお勧めする。資格取得は国や団体等からお墨付きをもらうということになるが、それに加えて「自信を育む」という、人の成長に向けた副次的な効果は大きい。私も随分とそれで背中を押してもらったと感じている。

その一つが中小企業診断士だった。先述したように、私が本格的にその取得に真っ正面から向き合ったのは短大から大学へと編入した産業能率大学で学んだ時のように思う。ただ、その頃から国鉄の分割・民営化が現実味を帯びてきて、「資格はこれからの人生の選択肢の一つになるかも」と思うようになってきた。とはいえ、通信で学ぶということは、通学以上に「自分との闘い」となる。今、振り返るとそうした巷の風を感じて、学ぶ真剣さも増したのではと思う。もし、国鉄の将来が盤石であったら、頓挫していた可能性も高い。

そうした中、ようやく卒業に向けた課題研究まで漕ぎつけた。そこで大変お世話になった方が、わが国の産業教育ではつとに有名なM教授である。この種の学会における発表の場でも、司会や講師として登壇するなど、以前から名前を聞いていたこともありスクーリングで上京し、お会いをするのがいつも楽しみであった。先生は教授という立場にありがちな偉ぶったところは微塵もなく、打ち合わせも会食を兼ねてなどの配慮をしてくれ、卒業後も何かとやりとりをさせていただいている。そのM先生の指導をいただき、挑戦した研究レポートのタイトルは「高齢社会の到来と企業に求められるカウンセリングの展開」で、副題が「**コンサルティングとカウンセリングの合一を目指して**」だった。今、振り返ってみると講師業を軸にした現在の仕事への向かい方は、この論文のタイトルからみても、その頃が私の生きていく一つの大きなターニングポイントだったのかもしれない。そう思うとM先生との出会いに感謝である。

私論、「エッセンシャル・ワーカー」

そのM先生から今年も丁寧な賀状が届いた。例年のように印刷で近況が綴られ、空白に自筆で書かれていたメッセージが私の目を引いた。「大変な時代ですが、〝エッセンシャル・ワーカー〟として頑張ってください。体を第一にして……」と書いてあるではないか。「100年に1度の災厄」といわれるコロナ禍で、聞くことが多くなった言葉の一つに、この「エッセンシャル・ワーカー」がある。「**エッセンシャル**」とは「**不可欠**」とか「**必要**」を意味するが、コロナ禍による医療の逼迫などを背景に、主には医師や看護師など医療現場に焦点をあて使われることが多い。このエッセンシャル・ワーカーだが、その他にも介護や福祉、運送やゴミ収集、更には警察や消防関係などがあげられる。そうした中で、M教授が書かれたこの意味を、改めて私なりに参酌をしてみた。振り返ると〝目に見えない敵〟である新型コロナが全世界を席巻するようになった令和2年4月頃、現在とは違い、その正体がわからず、互いに怯えおののき、人と人との接触の機会を排除しようと皆、必死だった。したがって1度目の緊急事態宣言はそれなりに功を奏したように思う。

そうした中、年度のスタートにあたり、幾つかの事業所から新入社員研修の講師の依頼を受けた。もちろん、断るという選択肢もあったが、新社会人にとってはせっかくの晴れの門出である。そこで50歳近くも年齢が離れた私がメッセージを送れる機会をいただけるのは何と光栄なことか。とにかく「感染対策をしっかりして」という条件付きで会場に向かった。今ならリアルではなく**オンライン**や**リモート**でということも考えられようが、その頃はまだその走り。しかも私は「教える研修」よりも、互いの関係性を通じて「気づく」を講義における基本スタイルにしている。また、それがよくて担当者から声がかかった側面がある。だとしたら何とかそのスタイルに応じたやり方を踏襲し頑張らねばと。とはいえ、向かう道すがらも不安で仕方がない。緊急事態宣言下でもあり、行き交う車は極端に少ない。途中、前に走っている車が、感染者が多い道外や札幌ナンバーだったりすると「一緒の空気を吸いたくない」……そんな気持ちにさえなってくる。そうしていざ研修ということになるのだが、受講する人達は20歳前後の若者達だ。総じてコロナへの危機感は薄く、「風邪が少し悪化したもの」くらいの受け止め方にみえる。一方、講師の私はというと慢性疾患を持つ立派な高齢者であり、万が一、罹患でもしようものなら、命の選択が行われたとしたら、文句なく優先的に外される。

そこで研修の冒頭では「密閉、密集、密接」の3密対策の徹底を図る為に、席の座り方にも配慮し、1時間ごとの換気や、手指消毒の徹底、顎マスクの厳禁など、うるさいほどに注文をつけての進行となった。研修時にはそれなりに格好はつくのだが、問題は食事時である。同窓となったりすると「○○さん、ここに来て一緒に食べない？」ということにもなり、黙食の徹底も容易ではない。ただ、それでも研修の終了時には、彼らの爽やかな笑顔に癒やされホッとしたものだ。とはいえ、その後における発症を考えると、それを終え2週間くらいはヒヤヒヤものの日々が続いた。そうした機会に何度も遭遇し、何とかクリアをしてきたが、そうこう考えると、

「エッセンシャル・ワーカー」という言葉が妙に腑に落ちた。確か、賀状に書かれたあの言葉は、そうした先生の体験が言わせているのだろう。

　このように考えると命や生活との関わり度合いにより大小はあるものの、「働く行為」そのものの意味からいって、「皆がエッセンシャル・ワーカー」といえそうだ。私の仕事も、あなたの仕事も悪質極まりない詐欺商法に関わるようなものを除いては「必要だからこそ」存在をしている。だから、私はその賀状における先生の言葉を頂戴し、最近は「**エッセンシャル・ワーカーの自覚を持ち頑張って**」と発信する機会が多くなった。「働く」とは物販やサービスの違いがあり、あるいは業種や業態、更には携わる職種等が異なったにしても、〝周りへの貢献の為〟にある。「**働くとは『傍《はた》を楽にする』こと**」だ。誰だって「あなたがいて助かりました」「君の活躍があればこそだよ」などという言葉をもらうと、「働くことの意味」をしみじみと感じる。「他人に役立つ喜び」……これこそが仕事の醍醐味といえる。

互いにＭＶＰを目指して

　仕事の現場においてお互いに目指したいものがある。それはＭＶＰである。これはスポーツなどにおける最優秀選手をイメージするかもしれないが、ここでいうＭＶＰとは次の３つを指す。

まずはMだが、これは「**ミッション**」をいい、訳すと「使命」くらいになろうか。どんな仕事にも目的があり、それをやり遂げようとする心意気なり、誇りを持つことが要求されよう。次のVは「**バリュー**」、即ち、「価値観」とでもいえようか。どんな仕事にも「品質」が付きまとう。少しでもそれのよいものを届けようとすることは働く上では不可欠だ。最後のPは「**プライド**」である。これは「信念」などと訳されたりするが、自分の仕事の未来を信じ、多少の物事に動じない心を持つことだ。いかがだろうか？　この3つはせめて頭の片隅におき、仕事に取り組むようにしたいものだ。その為にもとりわけ部下を持つ上司の役割は重要だ。このことを常日頃からしっかりと背中で語れる人であってほしい。「**部下にどのような使命を与え、いかに意味ある価値観を持たせ、それを信念まで結びつけていくか**」……それが問われている。

なお、ここで誤解のないように言っておきたい。それはこうして「皆がエッセンシャル・ワーカーの自覚を」というと、もしかすると、自分の生活を犠牲にし、他人の命を守る為に自らの命を賭して、日夜、コロナと対峙している医療関係の方々の地位を下げようということに映りかねない。だが考え方は全く逆である。そうした意識を各々が持つことにより、仕事に携わるに当たり、間違いなくよい方向に向かう。その上、医療に関係する人達と「エッセンシャル」を共有することができ、互いに感染予防に、より力が注がれ、医療現場にある大変な状況が少しでも緩和されることを願うからに他ならない。そんな意味でコロナ禍が終息した折には、そうした医療関係の方達の献身的な取り組みに心から敬意を表し、全員にＭＶＰの称号を与えたい気持ちだ。「働く意味」の大変さと、その素晴らしさを教えてくれたことに感謝し、「ＴＯＫＹＯ２０２０」における金メダルにも負けない輝きで。

なお「エッセンシャル・ワーカー」というと、「感謝される人」に繋がりやすい。各人が働く現場でそれを目指すことは素晴らしいことだ。だが、もしかすると、それ以前に大事なことがあるかもしれない。その思いはこうだ。

「感謝される人よりも感謝する人でありたい」

より良い人間関係を築くには「**自分が先に**」が基本であるからに他ならない。

人の生き方に正解はない

興味ある道への選択

私が商業部門の中小企業診断士として独立開業したのは元号が昭和から平成へと変わったときである。その独立に際して悩んだことがあった。それは看板をあげるとすると「中小企業診断士」（以下、診断士と略す）、それとも「社会保険労務士」（以下、社労士と略す）のどちらをメインにするかであった。周りの方に相談をすると圧倒的に後者の声が多かった。その頃、前者は資格としての認知度はまだまだ低く、マイナーな資格といわざるを得なかった。営業に向かうと役所や、下手をすると商業関係さえ満足にこの名称を知らない人が多かった。そんな中だから、多少、資格を耳にしたことがある社労士へとなるのがごく自然だったのかもしれない。また、社労士には国家資格ゆえの独占業務があるが、診断士には生憎、そうしたものがない。したがって、業務的な安定を考えると、社労士は関与先と繋がったら、継続的なお付き合いとなりやすく、生活のベースが作りやすいのではという、私を思っての親切心が働いての上記の返答になるのも頷ける。ただ私は国鉄から転職をし、2年ほどお世話になった会計事務所で事務処理等に携わってきたが、その中でいやというほど味わったことがある。それは〝事務的な細かな仕事が自分には不向き〟ということだ。

その為、当時、診断士資格で学んだことを生かし、私なりに市場調査をしてみた。主とする情報の入手先は今とは違い、紙ベースのものであったが、中でも電話帳は貴重なツールとなった。調べてみると診断士では私が住所をおく、十勝地方を始め釧路、北見地方など、東北海道では皆無に近いことを知った。どうせ独立をし苦労をするなら、興味のある方が辛くても我慢に耐えられる。また、新たな道を拓く面白さもある。それならと、診断士で看板を上げることに決めた。

サラリーマンへの別れ

そう決断をしたものの現実は甘くはなかった。全く仕事がないのだ。そうすると気持ちは自然とすさんでくる。日に日に落ちこむ私の姿に、妻もしびれを切らしたのであろう。「お父さん、仕事がなく大変な気持ちはわかるけど、日に日に落ちこんでいくお父さんを見るのは辛い」と言われた。ならば何ができるか？　慣れない仕事ではあったが、主に商工業関係を軸に履歴書片手に近隣の商工会などに顔を出した。

その中で今でも忘れられないことがある。ある商工会で経営指導員の方にお会いをし、話を進めていると、私の履歴書にシゲシゲと目をやりながら言われたひと言がある。「石田さん、あなたは私共の会員に何を指導するのですか？」と。当時の私の履歴書には、労働組合の履歴は沢山並ぶのだが、それに比して肝心な職歴は極めて少ない。「組合のことなど指導されたら」などという気持ちが働き、疑惑の目を向けられるのも、考えてみるといたしかたがないかもしれない。もし、私も逆の立場であったなら、きっとそれに似た感情を抱くに違いない。

そんな中でのスタートであった。幸いにも身近で私の診断士人生を陰ながらサポートしてくれた人がいた。妻である。とはいえ独立をする際、私が彼女に相談をしたのは会計事務所を辞めてからのものだった。即ち、「相談ではなく報告だった」といってよい。妻は幼くして父に先立たれ、親子4人で暮らし、長女だったこともあり、亡き父に代わっての役割を果たしてきた。生活の切り盛りをするのも容易ではなかったのは想像がつく。とすると、行く先が不透明な「士業《さむらい》で事務所を興す」と言ったにしても、決して「ウンとはいわない」。〝身勝手な男の論理〟かもしれないが、そんな思惑が働き、私としては「相談」が「報告」にならざるを得なかったのだ。しかも生ずるいことに、妻が公務員として保育士の定職をもって働いていることをよいことに。それを聞いた妻は憮然とし、しばらく口を聞いてくれないばかりか、よほど腹が立ったのであろう。私に背を向け、寝そべりながら足を開き、「うっぷん、やるかたない」という素振りでテレビに目をやっていた。それを見かねたお袋さんから叱責が飛んだ。「何よ、その態度。だらしない。もう少し行儀よくテレビをみたら」と。妻の精一杯の私への抵抗だったに違いない。

感情と行動の狭間に揺れて

そんなスタートの中、数少ない仕事の一つに国鉄清算事業団の研修所での講義があった。北海道に限れば民営化に際しJR社員へ採用されたのは僅か2人に1人。受講される大半は以前、肩を組み労働組合歌を一緒に歌い、共に闘ってきた国鉄労働組合に所属をする人達だ。依頼の趣旨はこうだ。「あなたは国鉄に20数年在籍をし、転職後、会計事務所で多くの民間企業と携わってきた。その両者の違いについて率直に感じたことを話してほしい」と。ただ、最後に「くれぐれも余分なことは言わないように」と釘を刺された。主観を交えず違いだけを……と。

与えられた2時間に「何を、どう話すか?」……ドキドキ感いっぱいの中で登壇の時を迎えた。どことなく異様な雰囲気である。私自身もどこかでそれを感じ、ある種の後ろめたさがあってか、下を向きがちになる。だがここは勇気を奮い起こして言うよりない。朝でもあり元気な挨拶で口火をきろうと「皆さん、おはようございます!」……お辞儀をし頭の上がらない内に、場内に怒号が響いた。「この裏切り者!」。もうそこから先は何をいったかわからない。その言葉の裏には「組合が民営化に反対し、君もリーダーとしてやってきたじゃないか。それなのに資格を持っているからとよくもサッサと転職できたものだ!」……そんな怒りの表れであろう。私もその気持ちがわかるだけに辛かった。まさに見事に洗礼を受けた壮絶なデビュー戦となった。

こんな状態だから、なんとか1時間、話を終え、休憩時間には逃げるようにして廊下にでた。そうしたら遠くから周りの目を盗むように近づいてきた男がいた。それは今は亡き、組合の活動家の一人のF君だった。「邦雄、大変だろう? 実は聞いている俺らも大変なんだ。だがな、邦雄、覚えておけ。周りがどう思っているかわからないが、俺はお前の話を聞こうと思ってここに来ている。もし、話をする時に困ったら俺の顔を探せ。そしてしっかりと与えられた役割を果たして帰れ。わかったか!」……そのひと言は涙が出るほど嬉しかった。私の診断士人生における事実上のスタートはそこから始まったのかもしれない。

そうして帰宅をし数日後、研修所の担当者から感想文が送られてきた。その内の1人の文章が未だ忘れられない。「私は今でも国鉄の分割民営化に反対しているし、これからもずっと死ぬまで反対していくだろう。私は貴方みたいに組合がまだ闘っているときに逃げるわけにはいかない。それにしてもよく国鉄に見切りをつけていったものだ」と。そして最後の1行が強烈に心をえぐった。「貴殿の話は聞きたくない!」。正直な気持ちであろう。

あれから30年以上が経った今も感想文を捨てきれない私がいる。それは年月の経過を受け、とっくの間に風化し、セピア色に褪せてはいるが、この小さな1枚の紙に、この受講者の精一杯の家族なども背負った泣き笑いがこめられていると思うからだ。

その国鉄はその後、分割・民営化に向けた法案が昭和61年11月に通り、62年4月1日に115年の歴史に幕を閉じた。以降、令和の初めまでは各社毎の経営の良し悪しはあったものの、インバウンド需要に支えられ、それなりに体裁を保ってきたが、今回のコロナ禍で状況がガラリと一変。観光需要等の落ちこみをもろに受け、ＪＲ各社はかつてない危機にひんしている。ＪＲ北海道は相次ぐ廃線計画を打ち出すなど、「公共交通の思いをかなぐり捨てて」の印象が濃い。こうして平時から有事へと環境が大きく変わり、ここにきて本当の意味での分割・民営化の是非が問われてくるのかもしれない。かつて多少なりとも鉄路と縁のあった私としては、なんとかこの危機を乗りきってほしいと思うと同時に、複雑な気持ちになる昨今だ。

最近、こうした話を講習会等ですると「先生、私の父を知っていますか？　父も労働組合で頑張っていたものですから」などと受講者から時々、そうした声をいただいたりする。嬉しいこと、この上ない。そんなこんなもあり、古希を越えてからも、就職活動に携わり、相談員などとして活動しているのは、そうした経験を持つ私自身の「個人的役割」と感じてのことだ。あるいは、もしかすると民営化の際の、どこかで申し訳なさを伴う、自らの罪滅ぼしの意味があるのかもしれない。

あれから30年有余。時代の波にのみこまれた人達は、もう定年を迎え第一線を退いたか、あるいは定年間近な人が多いように思う。どこかでその当時を振り返りながら、懐かしく笑い合う気持ちになっていてくれればと願ってやまない。

「過去を恨んでも時は戻ってはこない。
でも未来は今からの自分次第で変えられる」

今、改めて言いたい。「君も頑張れ！　俺も頑張る！」……人の生き方に正解はない。

第4章

育む

第4章　育む——❶

人生は「自分を探す旅」

「今・ここ」を大切に

あなたは「何の為に生きているか？」と問われたらなんと答えるであろうか？　創業当初の出来事で忘れられないことがある。看板を掲げはしたものの、事実上、サラリーマンの道を離れ、初めての経験でもあり、期待よりもはるかに不安の気持ちが心を支配していた。その為、何かにすがりたい、そうでなければ自分の心の安寧も怪しくなる。そうしたこともあり、当時は自己啓発セミナーなどに参加をし、私なりに心を奮起させるのに躍起だった。

そんな時のひと駒だ。それに類するセミナーを受講し会場の中ほどに座り聞いていた。非常にパワフルな講義をされる方で、途中、講師が壇上から降り私の横に止まり質問をした。「あなたは何の為に生きておりますか？」と。突然の指名に苦し紛れに口をついた答えが「生きる為に生きています」だった。「自分は何の為に生きているか？」など、深く考えたことがない。正直、そう答えるのが精一杯だった。とはいえ、なんとも後味が悪い。「もしかしたら講師の方にも失礼な対応をしたのでは」と気になり、休憩時間にお詫びにと講師の控室を訪れた。「失礼な答えになって申し訳ありませんでした」と。「ご丁寧に有り難う。あなたが真剣に考え答えてくれたのは表情で感じておりましたので。ところであなたはどのような仕事をされているのですか？」と質問をされた。「中小企業診断士として独立開業したばかりです」と答えると「そうですか？そうした職業をされている方なら、特に先程の質問の答えは持っていた方がよいでしょうね」と。

あれからもう30年あまり経過したが、改めて尋ねられても未だ明確な答えが見つかってはいない。だが、人生の中で何を大事にしようとしているかはおぼろげながら見えてきた。実はこれは今回の執筆でもそうなのだが、頻繁によく出てくる言葉がそれを教えてくれているように思う。例えば、「**関係性**」や「**前向きさ**」などである。自分が生きる上で、関係性に非常に拘りがあり、また、何か問題に当たる時には、常に「前向きに考えよう」とする自分がいることなどだ。

これに類して皆さんもこれを機会に考えてみたらどうだろうか。自分が他者との会話や、あるいは文章を書いた時によく出てくる言葉は何か？　そこにヒントが隠されているかもしれない。なお、私はそうした思いを背に「**今・ここ**」ということをとても大切にしている。それが今日の自分を作り、明日へと繋がっていく。実は今から30年ほど前に作った事務所の所訓がある。「**今に感謝・今が一生**」である。これは創業当初、仕事がない中で感じた「仕事のある有り難さ」や、「その時の仕事に向かう姿勢」を短文にまとめたものなのだが、これもそれに結びつく一つかもしれない。

「一生懸命」を「一所懸命」に変えて

ちなみに所訓の後段にある「今が一生」だが、これは人生でいう「一生」と、「新たに生まれる」という意味合いをこめてのものだ。「一生」というと非常に長い感覚として捉えられがちだが、結局、それは「今の積み重ね」の結果といってよい。しかも私達は一寸先が見えない不透明な中で生きている。としたら、現在おかれている与件の中で精一杯、「今」を「一生」だと思い、頑張るよりない。よく考えてみると、もしかすると「今という今は存在しない」のかもしれない。何故なら「今」というその時にも時間が流れているからだ。私達はとかく「一生懸命」という言葉を口にする。だが、これは「一所懸命」と読み替えた方がよい。即ち、「**一つところに命を懸けること**」を意味する。ディール・カーネギーもこんな言葉を残している。「**人生とは今日一日のことである**」と。

とにかく、今、ここにいる自分を受け入れ、この時を一生と感じて、物事に向かっていくことだ。「**人生、今日が始まり！　昨日まではリハーサル！**」……これは創業当初、仕事がない中で、苦しい時に元気づけられた田中真澄という方のビデオ、「講演革命」の一節である。「こんな人になれれば」と思い描き、テープが擦りきれるほど見たのを昨日のことのように思い出す。皆、誰もが持つ**宿命**は変えることはできない。これは「**命に宿る**」と書くように、両親をはじめ、自分の容姿や家柄等になろう。これらは自分の力で変えるのは不可能だ。どうあがいてもどうしようもない。嫌でも受け入れざるを得ない。

だが、**運命**は「**命を運ぶ**」というように変えることが可能である。これは「海外に留学する」とか、「〇〇会社に就職をした」とかであり、自分の意思次第で変えることができる。それをどう自分の思うように手にするか、待っていても向こうからはやってはこない。どう考え、どう行動を起こしていくかである。そして人生の目的は決して不変ではなく、個々の意思次第で、あるいはおかれた環境や年代によっても変わる。一度、これを機会にあなたなりの人生遍歴を振り返り、自分と向き合ってみるとよいのではなかろうか。

「働くこと」の意味

生き方と密接に関連するのが「働く」という行為である。この目的も「生き方」同様、人各々である。あなたは何を目的に働いているであろうか。「**生きる為の手段**」という人もいるし、「**自分の生きがい**」という人もいる。とりわけ昨今は、勤労に対する意識が多様化をし、その幅が大きく広がっている。例えば、休み一つとっても「キチンと土・日曜日に休みたい」という人がいる一方で「皆が休んでいる時には休んだ気がしないので、平日の休みを希望する」という人もいる。あるいは安全・安定を目指し「一つの会社に長く」という人がいる一方で、最近は「兼業や副業を認めてくれる会社に」という人もいる。就職活動のお手伝いをしていると、そうした多様化している現実を感じる。ちなみに私は「何で働いているのだろう？」と考えると、最近、なんとなく見えてきたことがある。というのもこうして30年近く、社会人教育に携わっていると、最近の受講者の中に、かつて新入社員研修で講義を受け、今や立派に会社の役員などとして出世をしている姿を見るなどの機会に遭遇する。当時のことを思い出しながら話題にされるとこの上なく喜びを感じる瞬間だ。その上、「当時の研修資料を持っていますよ」などと言われるとうれしいったらありゃしない。どうも私の働きがいはその辺にありそうだ。

「手取り収入が増えたこと」と『先生にお会いしてよかった』などの声をもらうこと」とを天秤にかけたとしたら、今は明らかに後者の方に喜びを感じる私がいる。でも最初からそうだったかと振り返ってみると決してそんなことはない。「働くことの意義」を時系列的に並べると、一般的には「**自分の為に**」から始まり、それが「**会社の為に**」と変わり、やがて「**社会の為に**」という流れになるように思う。私はここにきてようやく「**借りを返す人生を**」ということもあり「社会のお役に立つこと」が喜びと感じつつあるという段階かもしれない。

縁は偶然ではない

生き方にしても、働き方にしても縁を大切にする人でありたい。雇用する側、される側の立場の違いがあったにしても「**社縁**」などは大切にしたいものだ。そうした人であれば傲慢にならずに、謙虚さを持つことに繋がる。謙虚さを表す言葉は「お蔭様」である。ただ、これも時間の経過と共に薄れがちになる。特に役職などに就くと、これまでの「**相手あっての自分**」の考え方が、いつしか「**自分あっての相手**」と逆転をし、傲慢になる可能性が高くなるので要注意だ。「**実るほどこうべを垂れる稲穂かな**」という言葉もあるではないか。それを反芻するのを忘れないようにしたい。

ところでその**傲慢に変わる兆候**としてはどのようなことが考えられるだろうか。よくみられるのは「挨拶が雑になる」や「立場の弱い者に対して、強くものを言いがちになる」「勉強をしなくなる」、更には「周りへの批判が多くなる」等々が考えられる。上に立つ立場になったら、それを常に振り返ってみることをお勧めする。そうならない為には、

「うまくいったら他人のお蔭。うまくいかなかったら自分の力不足」

と思う癖づけをすることが大事だ。もしこれが逆なら、誰だって付き合うのはごめんこうむりた

いのは、人の心として当然の性《さが》ではなかろうか。

この縁であるが、もしかするとあなたがそれを連れてきているのかもしれない。実はこの執筆の終了間際にも、とても縁の不思議を感じたことがある。年に一度も顔を出さないある社会福祉法人の役員の方が「働き方改革」の相談で本当に久しぶりに事務所を訪れた。話を進めながら思い出したことがある。私が義理の生活に馴染めず唯一の逃げ場であった旧姓の本家のことだ。ここでの体験等がその後の「関係性」などを始めとする私の生き方に大きな影響を与えているように思うのだが。そこは母子家庭で、世帯主である伯母が寡婦会の組織を作り、同じ境遇にある人達と授産施設を立ち上げ、その後にこの社会福祉法人に合併されたのは風の便りに聞いていた。その話をすると「創立60周年を迎えたばかりだ」といい、後日、記念誌「60年の歴史」を丁寧に送付していただいた。そこに伯母、伊藤タケコの名前を見つけ嬉しさで心が膨らんだ。これは果たして偶然といえるだろうか？　どこかで目には見えない糸が引き寄せたように思えてならない。

「何故にこの人に」「何故にこの時に」……縁は偶然ではなくあなた自身の思いの強さの現れなのかもしれない。そうした縁が紡ぎあい、運命へと繋がっていく。さて、あなたはどんな縁を引き寄せているだろうか？

夢を形に

夢は実現する為にある

「夢を持つ」というのは素晴らしいことだ。ただ、夢は単なる飾りではない。「夢は実現する為にある」。こうしてせちがらい世の中になってくると、現実の生活に追われ、なかなかそれが持ちにくいのが実際かもしれない。だが、大小の違いはあっても、「こうした時だからこそ夢を持とう」と、あえて提言をしておきたい。そうでないとなんら目的もなく、「生きている」というより「息をしている」だけの生き方となり、善循環構造とはならないからに他ならない。

お互いに与えられた一度こっきりの人生だ。宇宙に夢を馳せる、第2の大谷翔平を目指す、あるいは将来は社長に、など「**夢はでっかく、根は深く**」といきたい。また小さな夢でもコツコツと積み上げていけば、やがて大きく花開く。そんな明日を、そんな自分を信じることだ。「**積小**《せきしょう》**為大**《いだい》」という言葉もあるではないか。「**コツコツこそが上手な生き方**」に向けた定石でもある。

なお、夢と密接に関連を持つ、幸せの基準も十人十色である。「お金があり裕福だから」とは一概にはいえない。人にもよるが「豊か」というのは金銭面のみでは決してない。いや、むしろ成熟した社会になってくると**「精神的に満たされるかどうか」**が重要になる。まさに目に見えないものが基準になる。

あなたの考え方一つで、幸せにもなり、不幸にもなる。この世の中は矛盾だらけ。どこかで「自分の思惑通りに運ばないのが現実」くらいに割り切り、その中であなたなりの夢を見つけ、色々な角度から幸せに結びつけていく……そんな生き方ができるとすてきだ。妥協ではなく、どう現実と折り合いをつけながら。その為には物事を白黒の**二元思考**で見るのではなく、「グレーもまたよし」くらいの柔軟さを培うようにした方が楽に生きられる。どちらにしても、そうした現在のあなたの思考や行動が、あなたの5年後、10年後を決める。

「あなたはあなたの考えているような人間になる」

夢を持つ人に、それを育める社会へ

この夢だが、特に将来のある、若い人達には必須だ。私のような年代になってくると「過去に生きていく」……いやが上にもそうならざるを得ない。でも若い皆さんは、その動き方いかんで、「輝かしい未来を作る」……たっぷりな時間が与えられている。なんと素晴らしいではないか。もし、小さな夢も持てないなら「私と代わって」とつい老人の戯言を口にしたくなってくる。

この「**夢を形に**」だが、これは新入社員研修等でよく私が新社会人諸君に送るメッセージの一つである。「入社おめでとう。就職をするということはあなたにとっての第2の誕生日です。第1の誕生日は、あなたが選んだものではありませんが、今回の誕生日はあなたの意志が働いて実現したものです。一つの夢を叶えたことになりますね。これからは皆さんが選んだ夢の舞台で、更にどのような夢を手にしていくか、とても楽しみです」と。そうしてドンドンと自らを成長させ、社会や周りに貢献していくことを期待してやまない。

彼らは後期高齢者に足を踏み入れた私からみれば、孫同然の世代に当たる。その彼らに好々爺の心境でメッセージを送らせていただいている。場合によっては、前回、上梓した「縁を紡ぎ、人を育む～生き方・仕事ぶりを高める人生35訓～」を就職記念として、筆者の下手なサイン入りで。すると素直な気持ちで喜んでくれる。なんとすてきなことか。「若者、万歳!」である。

年を重ねると様々な思惑などが邪魔をし、こうした素直な言動がなかなかとれない。経験や知識などは働いたり、生きる上ではとても大切だが、それにより〝素直さを奪われない〟ようにしたいものだ。「**気持ちに素直になると生き方は楽になる**」……経験上からも自信をもっていえる。

「リフレーミング」の勧め

思考の幅を広げていくことも、夢をみつけ、幸せを手にする大事な一つである。皆さんは「リフレーミング」という言葉をご存知だろうか？　これは「フレームを変える」、即ち、「見方を変えること」を意味する。それに類する事例を紹介しよう。

私はよく新入社員研修で講義をし、もし会社側が望むなら半年後くらいに各人の個別面談をさせていただく。確か、大方の企業では、上司と部下の間で面談をされていると思うが、上下関係が伴うと本音をいうのにも限界がある。それで第三者のカウンセラーとして話を聞かせてもらう。

スタートはこんな風に。「私はカウンセラーとしてここにいます。その大事なことの一つに『守秘義務』があります。基本的には『誰が、何を言ったかは他言しない』ということで本音を聞かせていただけますか？」と。この面談の趣旨は新入社員諸君がうまく社会人としてソフトランディングできるように、第三者として背中を押し、場合によっては悩みを聞くなどして少しでも安易に環境から逃げるのではなく、社会に適応するサポートをと思うからに他ならない。その場合、よくスタート時に「私のイキイキワクワクグラフ」を活用し、この間を振り返ってもらう作業をする。入社時の気持ちを起点に、1ヶ月刻みで自分と向き合ってもらうのだ。

これをあるＪＡ職員に行った時のこと。女性職員の一人にこんなことがあった。グラフは順調にあがってはいったが、4ヶ月のところで突然手が止まりやがて泣き出してしまった。私はこうした時にはあまり言葉を挟まない。涙にも意味があり、泣くことは決して悪いことではないからだ。やがて泣きやみ、事情を聞きその意味がわかった。彼女は学校時代も無遅刻無欠席と自ら口にするほどに、とにかく真面目を地でいく性格のようだ。

その彼女が人事異動で組合員の方ともろに向き合う部署に異動となった。ところが毎朝、朝礼が終わると、いつの間にか、上司らがいなくなる。組合員の方から電話がきても、全く何も答えられない自分がいる。そうしてさんざん悩んでいた時にふと目にとびこんできた光景があった。なんと喫煙室で笑いあいながらタバコを吸っているではないか。「自分がこんなにも悩んでいるのに。それが情けなく悔しくて」ということのようだった。涙したあとは多少、気分が晴れたのかスッキリした表情で話してくれた。それを聞き、私は別れ際にこんな風に助言した。「そう、それは悔しいし腹も立つよね。少しくらいタバコを我慢したらと。気持ちはよくわかるよ。ただ、あなたの配属になった部署だけど、そこは組合員との接点が多い課で、あなたのような新人が滅多に配属にならないと思うな。それだけあなたの真面目さが買われ、今回の異動に繋がったのではないかな?」と。

それから1年後に、入所2年目の個別面談を実施したのだが、その成長ぶりに驚かされた。そうした経緯があっての面談でもあり心配をしていたが杞憂に終わった。彼女がこんな風に言った。「前回は泣いてしまってすみません。その後、先生の助言を受け、私なりに考えてみました。確かに『朝の忙しいのに喫煙』と腹が立ちましたが、でもそのスタイルでもこれまでそれなりに職場が動いてきた。としたら、そこは認めてもよいのではと思うと随分、気持ちが楽になったのです。お蔭様で組合員の方々と接点が持てる部署で、今は仕事にとても充実感を覚えています。実は今、考えていることがあるのです。先生もご承知のように組合員の中でベトナムからの技能実習生を雇用しておりますよね。ベトナムの方が話をしやすいのか、最近、私に何かと相談をしてくるのです。それで、これを機会に少しベトナム語を学んでみるのも一つかな、と思っています」と。それを聞き、彼女の成長を感じて、私もとても爽やかな気持ちになった。「そう、また夢が広がりましたね。今、あなたの言ったこと、素晴らしいと思う。もしあなたがよかったら、その思いを担当の方に伝えてもいい？　組織としても何か応援をすることがあったらよろしく、と」……そうして彼女とは別れたが、少しでも夢の実現に近づいていることを祈ってやまない。ただ、周りの方には本人に成り代わりこう言いたい。「そうした気持ちに甘えず、せめて行き先くらいは明らかにしたら」と。健康増進法では「望まない受動喫煙をなくすこと」がその主な目的に据えられている。だから喫煙ブースへということになろうが、それを当たり前と思わないことだ。企業によってはその不公平感を是正する為に、あるいは喫煙者を減らす為に、禁煙者に休日を増やすなどをして対処している時代でもあるのだから。

夢を形にする為に

私はよく研修等で「**反省はしても後悔をするな**」と言う。人の成長の為には「振り返り」は不可欠であり、これはとても大切なことだ。「働く」にしても、「生きる」にしても、そこには夢やビジョン等があり、それに伴い、目標や計画なりが組まれる。一般的にはこれを一年を皮切りに、半年、四半期、更には月、日というように分解し取り組んでいく。そうして、やりっ放しにするのではなく、常に振り返り、それを次の計画づくりに生かしていくことが求められる。

よくいわれる「**マネジメント（管理）・サイクル**」……「plan—do—check—action」を上手に回していくことが仕事のベースになければならない。これは企業人としても勿論だが、実は人の生き方においても共通する。いや、もしかすると、まずは仕事うんぬんの前に、生き方として「**自分をマネジメントできる人**」でなければならない。部下などを持ったら尚更に。その為にも、振り返りは必須といえるが、過去を振り返り後悔しても戻ってはこない。失敗をしたらその反省を今後に生かしていく考え方を持ちたい。成功もあなたの貴重なキャリアとなるが、もしかすると失敗はそれ以上にあなたにとっての立派なキャリアともいえる。

私は成功談のみを語る人はあまり信用しない。そんなことは長い人生の中であり得ないからである。問題は「**失敗の中で何を学ぶか？**」だ。間違いなくその失敗はあなたのこれからに生きていく。その為にも**「負けることに負けるな！」**……これはあるアスリートがコーチから頂戴した言葉だという。最も怖いのは「失敗をすることではなく、失敗を恐れて挑戦をしないこと」にある。若いということは「やり直しへの時間が用意されている」と考えたらいい。知識も重要だが、経験はそれ以上にあなたの血肉となる。その為にもどんな小さなことでもよい。夢くらいは持とうではないか？　私も今こうして、拙著を上梓する夢をなんとか叶えた。

なお、私の場合、これまでも資格への挑戦もそうだが、夢を形に近づける為に、**「他者に宣言すること」**を意識的に行う。今回の出版も周りの何人かの方には宣言している。そうすることで行動の針が不思議にそちらに向いていくし、逃げ道が少なくなる。どこかで自分を追い込むことも、夢を形にしようと思うなら、それも一つである。夢は実現する為にあるのだから。

そして次の言葉を贈りたい。

「成功の反対は失敗ではなく、失敗から何も学ばないことである」

「らしさ」を知り、「らしく」で生きる

自分自身を知る大切さ

「あなたはどんな人ですか?」と問われたらあなたは何と答えるであろうか? 仮に私なら大雑把、負けずぎらい、せっかち等が挙がる。こうした自分自身が持つ「らしさ」が肯定的に捉えられると生き方としては楽になる。ちなみに私の場合、「大雑把」をそう否定的に捉えてはいない。見方によっては「おおらか」にも通じるところがあり、そんな自分が好きだからだ。だが、仕事上からいうと、それが欠点になることもよくあり、失敗に結びつく可能性もある。その場合、必要ならそれをどのように補うかは、生きていく上において、とりわけ仕事の場では重要になる。大雑把であれば繊細な人をサポート役にすることで欠点を補うのも一つであろう。これが夫婦間なら周りからみると、「いいカップルね」と言われる可能性があり、逆に自分と似たような性格の人を連れ添いにすると、いわゆる「似たもの夫婦」になる。さて、あなたにはどのような「らしさ」が出てくるであろうか。

「らしさ」を生かす重要性

私がこの10年強、必要により仕事でお手伝いをお願いする女性がいる。彼女は私と性格は全く逆で、当初は完璧主義のようなところがあり性格的なぶつかり合いもよくあった。講師などをしていると「相手に合わせながら」ということもあり、自分の思惑通りに進まないことが結構多い。前段での社長の話が長くなり「先生、申し訳ありませんが30分、時間を切り詰めてくださいい」などと突然、いわれたりする。そうした時に彼女に引き継ぐと「キチンと事前に打ち合わせをしてもらわなければ困ります」とお叱りを受けることもままあった。

その彼女に、私の大雑把な性格が「おおらか」に映っている時はよいのだが、時として「だらしなく」感じられると、激昂をかい不穏な空気が漂うこととなる。ただ、そんな私と逆な性格が生かされ、頼もしく思える一つに「ミステリー・ショッパー」といわれる覆面調査がある。これは顧客になって店舗を回り、利点や改善点などを把握し、店側にフィードバックをし経営に役立ててもらうというものだが、こうしたチェックなどをさせると抜群の能力を発揮する。文章の推敲なども実に細かに目をやってくれ頼もしいことこの上ない。生活に根ざした女性的感覚での助言などは到底、私には足元にもおよばない。彼女が事業を興してからの付き合い方は、今日的にいうと「**メンタリング**」に値するかもしれない。メンタリングとは「**仕事をよく知る上司や先輩**

等が、その知識や経験等を生かし、部下や後輩を指導育成すること」をいうが、単に仕事上のスキルのみではなく、「生き方も含めた幅広い総合支援技術」といえるものだ。このメンタリングでは、教える側をメンター、教えられる側をメンティとかプロテジュという。この10年強で彼女は自らキャリアコンサルタントの道を築き、その成長ぶりには目を見張るものがある。逆に教えられることも多い今日この頃だ。としたら、後期高齢者になったこれを機に、そろそろメンター役を卒業しても良さそうだ。あとは影ながら彼女の更なる成長を目を細めて見るくらいが丁度よい。

みんなちがって、みんないい

最近、とみに耳にする言葉に「多様性」や、「ダイバーシティ」がある。かつては日本国民の多くが「中流」と久しくいわれていたように、とかくわが国では画一化した人間像が求められてきた。そんな時代に「生きづらさ」などを感じた人もいたに違いない。これまではどこかでそれを受け入れ、必死に周りに合わせようとしてきたきらいがある。だが、多様性などが叫ばれる時代になってくるとお互いの違いを認め合うことが出発点となる。「ありのまま」を認めることだ。

最近、性的マイノリティといわれる「LGBTQ」が話題になるが、これもある意味、多様性の是非が根幹にあり、今や政治においても無関心ではおれない時世になりつつある。金子みすゞの言葉に「みんなちがって、みんないい」というのがあるが、各々は皆、違う一人の人間であり、としたら、考え方や行動等が異なって当たり前だ。各人の生き方としても、今後はそうした「らしさ」を知り、それをその人なりの持ち味と感じて、「らしく」振る舞える社会を目指すことが求められる。互いに「**ありのままで生きられる**」……そんな社会に少しでも近づけたらと思うのだが。

多様化する働き方

多様化は働く現場にも様々な影を落としている。私が社会人になった、今から半世紀前には、職場は圧倒的多くが男性で、そこに珍しく女性がいると稀有の目でみられたりもした。私の入社した国鉄はまさにその代表例といえる。だが時代はガラリと変わり、そこには男性のみではなく女性が増え、大きな力となり産業現場を支えている。あるいは年齢的にみても、単に働き盛りのものだけではなく、一旦、定年を迎え、その後も様々な形で働き続ける、私のような高齢者も多くいる。アクティブシニアの活躍はめざましい。更には経済のグローバル化を受けて、外国人労働者も珍しくなく、近年は少子高齢化による労働力不足もあって、技能実習生という形での外国人が貴重な戦力としてわが国の雇用の一角を担っている。こうした人口構成上からも多様化を語ることができるが、加えてその働き方にも同様な傾向がみられる。従来の正社員に加え、契約社員やパート・アルバイト、更には派遣という形もあり、最近では兼業や副業まで囁かれ始める現実がある。更には同じ正社員であっても場所や職種、労働時間などを限った働き方の「**限定社員制度**」など実に多彩なのだ。今後は益々、働く側の意識の変化を受け、あるいはそれを雇用する側からも何かと柔軟な雇用の確保や、多様化に向けた流れは加速していくのではなかろうか。

そうするとかつての人事労務管理における考え方のベースにあった「**『らしさ』を殺して同じ企業の色に染める**」というやり方ではなく、むしろ多様化を前提にした「**『らしさ』を生かして、組織のパワーに変えていく**」……そんな方向に変わっていかざるを得ないと思われる。最近、「**ダイバーシティ（多様性）**」と「**インクルージョン（一体性）**」の重要性が叫ばれるようになってきた。あい矛盾するように思えるこの2つを、社内にどう落としこんでいけるか？　確か、それに向けた敏感さなどが、企業の生き残りに向けた大事な一つのキーワードになることは間違いない。また、最近はそれにつれ「**メンバーシップ型**」といわれる旧来の働き方から「**ジョブ型**」という働き方への移行も取り沙汰されてきている。前者はこれまでのわが国の雇用システムのように業務内容や職務場所などを固定しない代わりに終身雇用制を基本に身分を保証するところに特徴がある。本人の能力よりも貢献度を重視する考え方といえよう。

もう一方後者は、どのような仕事ができるか、即ち、その人が持つ能力を基準に考え、解雇や離職も自由にできるような雇用システムをいう。国の進める働き方改革は兼業や副業の解禁にもみられるように後者の色合いが濃く、やがてその内に、欧米において広がりつつある「**タスク型**」も視野に入ってくる可能性が高い。ちなみに「タスク型」とは、必ずしも企業に所属をすることなく、必要により自分の能力を発揮して稼ぐ考え方ともいえようか。そこに求められる人材とは「**自分の報酬は自分で決め、成果にも責任を持ち実践する人**」ともいえる。まさに本来のプロフェッショナルの働き手といえるだろう。どちらにしてもわが国の労働事情を考えるとこれだけは間違いなくいえそうだ。人口に占める生産年齢の割合が下がっていく中で、これからの時代は女性と高齢者、それに外国人労働者をどのように上手に活用していくかがポイントだと。

モデルシニアを目指して

少子高齢化社会は産業現場にも大きな影響を及ぼしている。この人口構成はそう簡単に変わるものではない。現在の推移からいくとわが国では、2020年代半ばには、3人に1人が65歳以上の「**超高齢者大国**」になるのは明白だ。それに沿い、国でも企業に定年延長等を求めるなど、その対策に躍起だ。かくいう私もかつて20年弱、高年齢者雇用アドバイザーとして、その体制づくりのお手伝いをしてきた。当時、よく人事担当者からこんな声を聞いた。「継続雇用といわれても地元の高卒の方も採用しなければならず、そのバランスに頭が痛いです」と。ということは、もしかすると継続雇用になる裏側で、自分の子供はもとより孫の年代に当たる人の雇用を邪魔しているとも考えられる。としたら、その孫達もうまく生きられるよう、先人として道を拓いていくのも高齢者の大事な役割とも思うのだが。

ところで企業と接していると、高年齢者の活用において頭を悩ませている一つに、〝モチベーションをどう確保していくか〟がある。一般的に高齢者活用においては「**継続雇用**」が多いと思われるが、役職定年制を始めとして賃金が下がり、それがやる気を失う要因の一つになっているようにみえる。これをどうクリアしていくかは、働く側、雇う側の双方にとり大きな課題の一つといえる。前者で考えると、高齢者雇用の最大のメリットは、これまで培ってきた経験や知識などが豊富なことが売りだ。これはどう若年者があがいても追いついていけない高齢者が持つ強みである。もちろん、各人により持ち味は異なるが、総じて「高齢者らしさ」となると、その辺に落ち着くのではなかろうか。そうしたら、これまでお世話になった会社への貢献は、仕事で培ってきた技術や知識などを伝承していくことにある。高齢者が持っているそうした財産を、部下や後輩に譲ることとは、その雇用における最大のメリットといえる。継続雇用になったからには、せめてそのくらいの使命感や誇りを持つ人でありたい。確か、誰でもが長く身をおいた会社がなくなることを欲しないはずだ。私も20年ほどお世話になった国鉄がＪＲへと民間に移行され、それだけでも寂しさを感じ、その上、最近の公共交通の意味合いが薄くなる現実を目の当たりにすると、心にポッカリと穴があくような感覚を覚える。長年、企業に籍を置いたとしたら愛着があって当然で、そうしたら、賃金が下がる等があり、やる気がなくなるのは、わからない訳ではないが、どこかで気持ちを切り替え、**「これまでのお世話になった恩返し」**くらいの気持ちになれるあなたならどんなにすてきだろう。そういうあなたなら、部下や後輩にとり、間違いなく**モデルシニア**に映っているに違いない。

なお、逆に高齢者を雇う企業にとり大切なことは、加齢化に対応し〝人力を機械に変える工夫〟や、これまでのような〝画一的な働き方〟を求めるのではなく、〝各人にあった柔軟な勤務体制をどう作っていくか〟などが問われる。意欲の向上という面では、〝これまでの顔や経験を生かせる仕事を与える〟とか、〝高齢者とのコミュニケーションの機会を多く持つ〟、あるいは定年になる5年くらい前に、「定年後にどのような生き方をするか」などの生活設計や意識変革に関わるセミナーを企画したりするなども一つである。またベースとして持ちたいのは、〝**上下関係は仕事の上だけ**〟と考え、これまでの人生を敬う感覚は忘れないようにしたい。どちらにしても、雇用する、されるの違いがあったにしても、互いに「割り切りをどうするか？」が問われてこよう。

なお私は、継続雇用が決してベストとは思わない。ただ、私のキャリアコンサルタントとしての経験からいえば、もし仮にあなたが別の道を歩むのであれば、キチンとした目標なり青写真を持つことが大切だ。「嫌でその企業を逃れ転職を」というような身の転じ方は総じて失敗に結びつき易い。その一方、目標を明確に持ち別の道を歩む人は成功する確率が高い。そこで私は前者を「**後ろ向きの転職**」、後者を「**前向きの転職**」といったりする。また、余程の際立った能力や特別の事情等がない限り、継続雇用以上の給与を転職先に望むのは難しいといえよう。それを承知の上で、新たな世界にチャレンジする魅力を見つけだすことができるかどうかだ。なお、定年という人生の節目においては継続雇用の他にも、幾つかの選択肢がある。思い描いていた新たな職業に就くのもよいだろう。自分の夢の実現に向け事業を起こす道も考えられる。更には今まで散々苦労をしてきたのだから、ここから先は「**就労定年**」ということなど様々ある。

あなたの生き方は他人に預けられるものではない。その決断があなたの人生において「**有終の美を飾る**」……少なくとも気持ち的に納得がいき、すてきに生きることに繋がることを願ってやまない。その際、〝**等身大の生き方**〟が一つのヒントになるかもしれない。

「つもりの自分」にならない為に

そうした時代の流れを考えると、これまでのように周りに合わせていく働き方や生き方が必ずしもベストではない。その前にまずは「自分らしさとは何だろう？」「自分らしく生きるには？」と、真剣に考えてもよさそうだ。そしてこの

「らしさ」や、「らしく」は、他人から要求されて作り出すものではない。

それを他者に要求することは相手が持つ「らしさ」を削ぎ、相手の尊厳を傷つけることにも繋がる。一例として「男性らしく」、あるいは「女性らしく」を求めるあまりに下手をすると「セクシャルハラスメント（通称セクハラ）」など、様々な**ハラスメント（嫌がらせ）**に結びつく可能性も高い。

そこで改めてあなたに聞きたい。「あなたの自分らしさとは何ですか？」と。あなたはどう答えるであろうか。なお、「他人はよく見えるが自分がわからない」……これもある意味、当然である。わからなければ、「私はどんな人ですか？　あなたにどう映ってますか？」と尋ねてみるとよい。そうすると相手から答えが返ってくる。それをどうするかはあなた次第である。もし気になるなら「何故、そう見えたのですか？」と聞いてみるとよい。こうした作業を「フィード

バック」といい、自分自身を知る為に極めて重要なことの一つだ。

なお、そうして返ってきた答えと、普段、思っている自分像にかなりの乖離があったとしたら、それは「**つもりの自分**」になっている可能性が高く、人間関係ということでいえば問題である。あなたが「自分磨き」の為に超えなければならない一つのハードルかもしれない。なお、それには普段から思ったことを言いやすい関係づくりを心がけておくことが大事だ。「**人間関係はバランスする**」ということを肝に銘じておくとよい。

「自分が心を開けば相手も心を開く。自分が心を閉じれば相手も心を閉じるものだ」

と。あなたがあまり心を開かず格好のよい話ばかりしていると、相手からの発信もそれに似たようなものになる。そしていざ蓋を開けてみると「**裸の王様状態**」……これはよくある話だ。そうなりたくないなら、こんな風に考え対処するのも一つであろう。私にもあなたにも2人の自分がいる。一人は「**オフィシャル（公的）な私**」、もう一人が「**パーソナル（私的）な私**」だ。このどちらに重きをおきながらやりとりをしているかを考えてみるとよい。一般的に人間関係は前者からスタートをし、付き合いを深め後者に移っていく。相手との中で、どの辺の線引きでコミュニケーションがされているかにある。これはとりわけ、上下関係が働く組織においては重要になる。どちらにしても、そうして「自分らしさ」を見つけ、それが他者にはない、あなたの強みとして認め、無理に相手に合わせるのではなく、「自分らしく」生きるように互いに努めたいものだ。「**自分は自分で自分**」なのだから。

なお、「らしさ」を知り、「らしく」生きようとする場合、私のつたない経験から感じている大切なことを伝えたい。それは、

「弱みの克服よりも むしろ強みをより伸ばすこと」

と。

とかく、「自分を変えよう」「他者に変わってもらおう」などとなると「弱み」をみつけ、その克服へ目がいきがちになる。そうすると画一化・均一化された人物像に結びつきやすい。私はそれよりも「強み」を強化していく方が「人育て」にはより有効なように感じてならない。

それにより、その人なりの他者にはない持ち味が更に光沢を増し、「弱み」が影に隠れていくようにも思うのだが……。

あなたのキャリアはあなただけのもの

改めて「キャリア」とは

今は生きる権利の一つとして「**キャリア権**」という言葉さえ登場し、何かとキャリアが話題になる時代だ。このキャリアだが、よく耳にする割には定義となると難しい。「彼はキャリア組」といったり「私はキャリア不足で」など使われ方も様々だ。このキャリアは一般的に「**轍**《わだち》」と訳されたりして、足跡のような意味合いを持つ。働く現場からみると「**仕事経歴**」くらいに考えるとよいであろう。このキャリアは雇用される側はもちろんのこと、雇用する側にとっても極めて重要な意味を持つ。

よく就職に際しては「**マッチング**」という言葉を使う。求職者側が持つ能力や人柄と、雇用する企業との思いが重なった時に「マッチングがうまくいった」となる。そのキャリアだが、次のように頭を整理してみてはいかがだろうか。1つは「キャリア」という言葉が持つ、広さや大きさによる使い分けである。まずは「**ジョブキャリア**」。最も狭い概念であり、自社なりグループ内での異動を考えてみるとよい。例えば今、事務関係の仕事に就いているが、今後は得意なアイデア出しなどで自分の力を発揮できる企画畑に回りたいなどがそれに当たる。「この会社なりグループで、どのような道筋を歩んでいくか」に関連するものだ。

なお、「今は一般社員だが、いつ頃に係長になり、管理職は何歳くらいに」という考え方などもこのジョブキャリアに該当するであろう。また、これらを考える際、「**プロフェッショナル**」と「**ゼネラリスト**」のどちらの道を目指すかも忘れてはならない。前者は上を目指すよりも、むしろ現在の仕事を究め、「その道でキラリと輝く存在になりたい」という働き方を言う。後者はそれとは異なり、様々な職種を経験し、将来は管理者や役員となり、この会社全体を率いていきたいなどとする人である。このどちらに軸足をおくかによって人事異動による満足感が大きく変わる。

2つは「**ワークキャリア**」という考え方がある。これは「今は金融機関に籍をおいているが、将来は自然と触れ合う農業に携わってみたい」など、あなたの仕事人生をどう作っていくかなどがその例だ。

3つ目として「**ライフキャリア**」がある。ライフとは「生活」とも訳されるように、これは単に仕事のみではなく、少し幅を広げて、今後の自分自身の人生航路をどうするかで、仮に退職になった以降にどのような道の選択をし、あなたなりの生活を築いていくかや、何歳くらいまでに結婚をし、いつまでに何人の子供を抱えるかなどがそれにあたる。

このようにキャリアの広さなり大きさで3つの考え方があるのが理解できよう。

「内的キャリア」が持つ重要性

もう一つ、別の視点からのキャリアに関する見方もある。私を例に話を進めよう。自分は中学校から高校時代にかけて、教師という職業に憧れていた。大学に進み教壇に立つ……と思っていた思惑は高校2年の時点でもろくも崩れた。家庭の事情で進学が許されず、就職クラスにならざるを得なかった。そして高校を卒業し国鉄に就職した。両親はその当時、羨望の的であった国鉄への入社が決まり、「息子の将来もこれで安泰」と、とても喜んでいた。だが、それとは裏腹に、肝心な本人はさしたる喜びはなかった。この場合、私が両親同様に、どこかで「企業の外見」からそれを選んだとしたら**「外的キャリア」**という。また、「国鉄マンに憧れて」の就職であれば**「内的キャリア」**が満たされたことになる。心の内にある生きがいや興味などに関するものがこれにあたる。当時の私は、外的キャリアとして国鉄にさして魅力を感じたりもせず、内的キャリアだって本来のやりたいこととは全く違う。そんな状態での国鉄への入社であり、しかも当初の仕事は駅舎の周りや列車の掃除等に明け暮れる毎日。おまけに4時間の仮眠はあるものの、24時間という一昼夜交代という変則の勤務形態で、心身共に疲れ果てる毎日だった。

今、改めて振り返ると、私が労働組合運動に足を踏み入れたのは、そうした社会への不公平感を覚え、世の中に対する不満等が動機になっていたのかもしれない。当時は国鉄職員としての自分よりも、労働組合をまとめ率いていくほうが、はるかに張り合いがあり面白みを感じていた。

あれから50年。お蔭で今は、その頃と比較をすると、こうして講師を生業にする毎日で、自らのやりたいことと合致しており充実を覚える日々だ。加えて文章を書いたりと、好きな仕事ができる喜びを満喫している。これが「内的キャリア」のなせる技である。一般的に自分が本来やりたい「内的キャリア」と、現在の職業とが重なっているとしたら、そう簡単に転職などとはならない。また、我慢も可能となろう。職業相談の際、「自己の振り返り」をし「これまでの棚卸し」に力点をおくのも理解できよう。

就職が持つ意味とキャリア形成の考え方

ひと口に就職といっても、よく考えると一緒くたにはならないように思う。先述した私の例でいうと、国鉄という会社に魅力を感じて就職先を決めたとしたら、厳密には「**就社**」といえるだろう。その一方、自らの心の内に焦点をあて、「機関士になりたい」などのように、職業や職種で決めたとしたら「**就職**」となる。そうして職に就くことになるが、3年間で約半数近くが辞めていく時代でもある。中には「我慢が足りない」ということで、若者達をひと括りにして語る人がいるが、そんな単純なことではないのかもしれない。私は辞める理由に2パターンがあるような気がする。それは「**見えて辞める**」のと、もう一つが「**見えないので辞める**」である。あい矛盾するかもしれないが、前者は「この会社にいても自分はせいぜいここまで。それなら今の内に早く辞めたほうが得策」などと考える辞め方だ。後者は「自分がこの会社にいても全くその先が読めない。それではここで踏ん切りをつけた方が」という辞め方である。

全く違う要因の中で共通するものがある。それは「**キャリアパス（行程）の見える化がどうか？**」だ。今の若者達はキャリア教育を受けて入社しており、その辺には極めて敏感だ。となるとこのキャリア形成の有無は雇用する企業としては大きな課題の一つといえる。なお、「人材の流動化」、即ち、転職が当たり前になってきた今日、社員の退職に際し一喜一憂するよりも、「自社からの卒業」くらいに考えて、「わが社での経験等が、今後の彼（女）の将来に花開いていく」ような押さえ方をされたほうがよいかもしれない。確か、そうした企業体質を持つ企業のほうが良い人材が集まる時代のようにも感じる。

また、キャリアということで、それに伴い、もう一つ、最近、話題になる「**パラレルキャリア**」も頭の片隅に入れておくとよい。「パラレル」とは「平行」などを意味するが、わかりやすくいえば**兼業や副業**がその一例だ。国が主導する「働き方改革」の中でもこれが推奨されている。そうすることで本来の自分を知ることに役立ち、ひいてはそれが企業や社会の発展にも貢献するというわけだ。これは特に次代を切り拓いていく若者達にとっては重要な考え方の一つである。

このキャリア形成だが、まず求められるのは「ゴールを明らかにすること」。その上で「それでは3年後にどうなっていたいか」「ならばこの1年をどうするか」などというようなアプローチで取り組むのが基本だ。そうした道筋を立てたにしても、思惑通りに運ばないのが世の常で、起こりうる障害等も念頭に入れながら。これらは立場や職種が変わった時や、初めて子供の親になったなど、環境が大きく変わった**仕事人生の節目節目**で行うとより生きてくるであろう。

また、従前の企業における人育ては「**職業訓練**」的なものが圧倒的であった。だが、これからは自己実現欲求の高まりの中で「仕事に携わる中で、職業人として、あるいは人として、どう成長をしていくか」という「**人財開発**」の視点にシフトされていかざるを得ないであろう。本人はもとより、雇う企業や上司なども、それを念頭に入れたアプローチが要求されてくる。とすると、最近の若者達にとっては「この会社にいて自分の3年後はどうなるか?」などが重要で、「自分の仕事に成長を感じない(見えない)としたらサッサと辞めていく」くらいで若者像を捉えたほうが無難かもしれない。こうした「キャリアパスを見える化していくこと」は、人の定着化の上でも極めて有効であると認識をしておきたい。

こうして予想だにしなかったコロナ禍はこれまでの労働事情を大きく変えた。社会も産業現場も生き物である。よい時もあれば悪い時もある。これは各人が生きていくのも同様だ。だが、どんなに時代が変わっても「豊かに働き、すてきに生きる」に異論を持つ人はそうそうはいないであろう。そうしたら、こんなことも考えてみるとよい。

仮に一旦、退職したにしても「やはり前の会社がよかった」などという人が出てもおかしくはない。むしろそうした人の方が、以降は企業に対する忠誠心が強く、再雇用したとしたら大きな戦力になる可能性が高い。としたら、その人は貴重なキャリアを積んできたことになる。企業としてこれからは、そうした懐の深さをぜひ持ちたいものだ。

そうした企業であれば、社員自らが自社の宣伝をしてくれ、雇用確保にひと役をかってくれるかもしれない。このような採用を**「リファラル（紹介）採用」**といい、着実な広がりをみせている。「社員紹介採用制度」などとして、うまく事が運んだ場合には紹介をした社員に謝礼を用意するなどして対応している企業もある。だが、その為にも「友達などを誘いたくなる企業」にしていくことが求められる。ならば、労使の枠を越えてそうした組織なり、企業を目指そうではないか。

だが、それは企業側だけで頑張ってできる話では決してない。そうした組織風土を作れるか否かは雇用されているあなたの力にもかかっている。
なお、この節の最後に福沢諭吉の次の言葉を。

「自分らしく生きることができない人には次なる道はない」

「人育て」は「人生のバトンを繋ぐこと」

学ぶ意味を考える

研修をする際、冒頭でよく強調することがある。それは「『研修の為の研修』『組織の為の研修』にしない」ということである。受講動機は「自ら手を挙げて」というのと、「組織からいわれて」に大別される。動機は異なったにしても座っている時間は同じで、どうせならその時間を自分自身に生きるようにしたい。

その為に強調しているのだが、まずは「**研修の為の研修**」。研修のケジメに挨拶を交わす際、マナーの一つとして「立ったら椅子は机の中に入れてください」という。ところがいざ、休憩になるとそんなことは上の空で、椅子を出しっぱなしにして部屋をあとにする人がいる。これなどは「何の為に」を忘れ、「研修の為の研修」になっているといえよう。私はそんな場合、憎まれるのも承知の上で、これを機会として捉え注意をする。そうした癖づけをした方が本人の為になるからである。学校教育と違い、社会人教育で重要なのは「**学んだら、即、実践**」が求められる。

次に「**組織の為の研修**」だが、これを話題にすると「会社からいわれてきたのに『組織の為の研修にしない』といわれても」という声をよく耳にする。そうなると「受けさせられている」という意識になり、学んでもなかなか自分のものになりにくい。そうならない為には「自分に何か役立つことはないか？」と貪欲に向かい、「自分の成長する機会を会社が作ってくれた」くらいに思い受講をすることだ。それが自分の成長に繋がり、ひいては組織へと還元されていく。学びはあなたの成長が目的で、その為の手段の一つに研修が用意されているのだから。

「人育て」の重要性

かの有名なドラッカーがその著、「マネジメント」の中で次のような言葉を残している。「**経営資源は一つしかない。人である**」と。

「ヒト、モノ、カネ」に加え、情報や技術、時間など多くの経営資源があるが、結局は「ヒト」いかんということであろう。考えてみるとこの資源のやりくりをしているのは「ヒト」であり、ファジーで伸びしろがあるのもそれで、とすれば企業の明日を拓くのは人次第といえる。誰もがその一翼を担っているのだ。企業は「**人に始まり、人で終わる**」といえる。

ところで部下の指導育成において、まず求められるのは、部下やメンバーなどの能力をどれだけ知っているかだ。この能力という言葉は概念的でわかりにくい。そこで次の3つに分解し考えてみるとよい。「**知識**」「**技能**」「**態度**」である。能力とはこの3つから構成されているからに他ならない。従って、部下の彼（彼女）が「知識的には？」「技能的には？」「態度的には？」と見つめてみること。これらについて「**現状の能力**」と「**必要とする能力**」の差、これを知ることが出発点になる。これを「**教育のニーズ**」といい、当然、各人により異なる。となると、最低でも預けられている部下などの「**強みや弱み**」、更には「**何を、いつまでに、どのレベルまで**」くらいは、常日頃から考えているあなたでありたい。もし、それがいえないようなら「人材育成」という言葉だけが空回りしているに等しい。

なお、よく、「人育ては先生に任せておりますので」などと、自ら何ら変わろうともせずに平然と口にする人がいる。あるいは「教育機関にすべて委ねている」や「人材育成は人事などの担当部署がやるもの」なども同様だ。そうして「人育て」を他者任せにするトップや管理者の方には、ぜひ強調しておきたい。「**他人頼みで人は育たない**」と。

人育ては間違いなく、目標達成などと同じく、あなたの大切な役割の一つなのだ。

「教育」を「共育」に変えて

指導育成の方法として、その軸になるのは仕事の現場で、マンツーマンを基本に行う「**職場内教育**」といわれる「On the Job Training（OJT）」と、それを補助する意味で、外部の研修機関に派遣するなどして、集合教育を軸に行う「Off the Job Training」、即ち、「**職場外教育**」が一般的だ。これらは互いに一長一短がありうまく使い分けることが求められる。

更にもう一つ、特に最近はオンラインの普及などの時代背景を受け、従来の通信教育などに加え、**Eラーニング**などと称して比重を増しつつある「**自己啓発**」といわれる「Self Development」がある。一般的にはこれら3つをうまく組み合わせながら、期間や到達レベルなどを考え、取り組むことになろう。その計画を立てる際には、キャリアが何かと話題になる時代でもあり、一方的に上司からの期待を部下に押しつけるのではなく、部下自身の3年後や5年後などの目標なども加味しながら決めていくようにしたい。そうして計画倒れにならないように、途中で経過等も勘案しながら、上司としての経験などを通じて、助言やサポートを忘れないようにすることだ。メンバーの目標実現への支援役が上司なのだから。

そして予定の期限を終えたら、その結果についてフィードバックをすることが肝要だ。これがないとしたら部下は仕事のやり方が良かったかどうかがわからないことを意味する。これらは考えてみると仕事を進めるに当たっての基本中の基本である「マネジメント（管理）サイクル」を「人づくり」の視点で回していることになる。せめて部下を預けられたとしたら、これらについて答えられる為にも〝部下をどれだけ知っているか〟が問われる。

部下の指導育成というと、かつては「見て覚えろ」方式が一般的であった。「上司の行動を盗め」くらいにいわれて。そして下手をすると職場によっては「ノミニケーション＝部下の指導育成」などと考えている人も多かったのではなかろうか。だが時代は明らかに違う。有名な山本五十六の言葉があるではないか。「**やってみせ、言って聞かせて、させてみて、ほめてやらねば、人は動かじ**」……と。まさに人づくりの名言といえる。なお実は「**部下育て**」は「**自分育て**」であることを忘れてはならない。その為には「**教育**」というより、「**共育**」という考え方に立つようにしたい。その上でコーチングでも重要な考え方である「**信じて、認めて、任せてみること**」などが生きてくる。そうして技術の伝承などを始め、部下にバトンを渡していくことでもある。

部下の人生を握る自覚を

今から3年ほど前のことになろうか。ある団体で管理職向けの研修を3日間、行った時のことだ。研修が終わり受講感想文を書き終え、ある30代半ばの男性の方が「先生、これ」といって自らのそれを見せてくれた。講師への感想にこう書かれていた。「いつも、しずかに、抱きしめてくれる」と。「石田」という私の名字をもじり感想を書いてくれたのだ。講師冥利に尽きるとはまさにこのこと。ついうれしくなり、思わずハグをしてしまった。講師となると理性的な振る舞いが要求されるかもしれないが、ポジティブな気持ちの時には、感情を素直に発散をすることが大切だ。彼は恥ずかしそうではあったが、そんな感想を頂戴すると、「もっと頑張ろう！」と、私のやる気意識にスイッチが入る。

こうした一連の流れからもわかるように **〝他者が自分を成長させてくれる〟**……何と有り難いことか。やる気が起きる源泉はその辺にある。部下にやる気を起こそうと思うなら、**「自分がやる気の起きた（失った）時とは？」**を教材に考えてみるとよい。すると**「正解は自分の内にある」**といえる。自分自身にやる気を起こせずして、どうして他者にやる気を起こせるだろう。なお、人は**「経験の中でしか物事を理解できない側面を持つ」**ともいわれる。とすれば、幅広い経験をどう積むかは、育成上からも、あるいは生きていく上でも不可欠だ。

先述したＯＪＴは「どのような経験を積ませるか」が大事になる。必要によっては本人は難しいと思ったにしても、時にはそれにチャレンジさせる勇気も持ちたい。「何故？」をしっかりと伝え、あなたもサポートすることを約束して。としたら、わざわざ教える時間をとってというより、日常場面でそうした機会をどう作っていくかである。そうして中には残念ながら失敗もあるであろう。その場合、〝**結果を責める**〟のではなく、〝**挑戦した勇気を称賛する**〟ような関係性を作りたい。これは組織の風土づくりとしても大切だ。なお、その他に念頭においておきたいのは「**『学ぶこと』は『真似ぶこと』**」だ。子供が幼少の頃の両親に大きく影響を受けて育つのがよい例だ。先述したが「**部下（子供）は上司（親）のいう通りにしないがする通りにする**」と思った方がよい。そうすると次のようにいえるかもしれない。「**部下（子供）はあなたの育てたように育つ**」のだ。どのような育ち方をするかは上司（親）次第である。となると、

「**部下（子供）の人生をあなたが握っている**」

ともいえる。

「指導」と「育成」の使いわけを

「指導育成」と、よくひと口にいうが、実はこの「指導」と「育成」には大きな違いがある。それは教えられる側の主体性の有無である。「**指導**」は上から下への一方的なもので、教えられる側のそれは極めて乏しい。これに対して「**育成**」はそれとは異なり、本人の気持ちも尊重しながら「一緒に」というスタンスといえる。少しこれに絡めて話をしたい。

教える側の基本的行動には2つある。まずは「**指示的行動**」で、教えるスタート時がこれに当たる。やり方を教えたり、指図したりして「**人を動かす行動**」ということになろう。そうすると教えられる側の能力はアップしてくる。だが、そこで忘れてならないのがもう一つの側面、意欲である。よくあるではないか。最初の頃は知らないがゆえに興味を持ち意欲的であるが、やがて少しずつわかりかけてくるとそれがしぼんでくることが。その両者、即ち、教えられる側の「**能力**」と「**意欲**」を勘案しながら、「**支援的行動**」に変えていく必要がある。これは相手を褒めたり励ましたりして「**相手をその気にさせる行動**」のことをいう。この2つを教える側は、うまく使いわけていく必要がある。言葉を変えると前者が「指導」、後者が「育成」という括りになるかもしれない。

なお、こうした過程でリーダーが果たすべき役割は3つある。1つは「**目標設定**」で、ゴールを明らかにしてあげること。2つはその途中途中で「**業績のチェック**」を行い、自分がサポートを要することなどはと考え接することだ。その上で一つの仕事が終わったら必ず必要となるのが「**フィードバック**」である。これらに加えて、成否は別にしても「労いの言葉」は必ずかけるようにしたい。指示を出す側は「頑張れ」という励ましの言葉はよく使う。だが、終わった後の、この労いの言葉が総じて少ない。労いの言葉があるということは承認欲求に結びつく。人を使う立場になったなら、

「励ましと労いはワンセット」

……その気持ちくらいは持つようにしたい。

コーチング技術の体得に向けて

「人を育てる」に際し「**スキル**」も大事だが、私はむしろ「**マインド**」がベースになければと思っている。とすると、最近、何かと話題になる**コーチング**はそうした意味では部下の指導に適した一つの有効な手法であろう。コーチングとは「**相手の可能性を引き出し、自発的な行動を促進させるコミュニケーションスキル**」ともいわれ、従来の「**指示型のリーダーシップ**」とは異なり、「**支援型のリーダーシップ**」のスタイルといえる。

この両者の決定的な違いは、底辺に流れる人間観だ。前者は性悪説を前提にしているが、コーチングは性善説……即ち、「**人は皆、無限の可能性を持っている**」……これを大前提にしている。それを基本に踏まえ「**その人の答えはその人の内にある**」という考え方に立ち、傾聴や質問、更には承認や観察、フィードバックや伝達などを通じて、「**相手の内にある答えを一緒に見つけだし、サポートをしていく**」くらいに考えるとよいであろう。その為に必要になるのがコーチ役の存在であり、一般的には家庭では親、職場では上司などということになろう。

　最近はコーチングが、その発祥であるスポーツ界はもとより、教育や医療、産業現場など、大きな広がりをみせているが、このコーチング技術を体得するに向けて幾つかポイントをあげておきたい。このコーチングは決して万能ではない。あくまでも部下の指導育成に向けた手法の一つで、コミュニケーションの一つのスキルに過ぎない。従って、人によっては**ティーチング**や**カウンセリング**などの手法を臨機応変に組み合わせながら行うようにすることが大切である。またコーチングは全ての部下に馴染むとは思わないことだ。意欲や能力のあるものでないと難しいと考えた方が無難だ。従って一般的には中から上クラスの部下を対象にするとよいであろう。意欲が低いものには、まずはカウンセリングなど他の手法が有効でもあることを認識しておきたい。そして何人かの人で試行的に行い、コーチ役としての成功事例を積み重ね、自らが自信をつけていくことが肝要になる。

　また、コーチングでは傾聴が大事なスキルであり、「**話し三分に聞く七分**」くらいの感じで、とにかくよく聞き、考えさせ、部下自らに答えを出させるように心がけるようにしたい。よくコーチングは「頭で考えるものではない」といわれる。それよりもはるかに経験がものをいう。教えられる側の成長を信じ、相手の変化を楽しみながら行う共同作業くらいの気持ちで行うとよい。従って長期的視点が要求される。とにかく、成果が出るまで、積極的に機会を作り、継続してやっていくことだ。こうした姿勢や心構えで接しているとやがて少しずつ身についていくと思われる。かつては「指示型」スタイルが軸であった私も、曲がりなりにも最近は「支援型」のスタイルに変わりつつあるように感じている。それも多くの失敗等を重ねながら、そうした経験の上での今日である。

この節の終わりにこんな言葉があることをご紹介したい。さて、あなたは何を育てようとしているであろうか？

「1年先を考えるなら花を育てなさい。
10年先を考えるなら木を育てなさい。
100年先を考えるなら人を育てなさい」

「守・破・離」を人づくりに活用する

武道や華道などにおいてよく使われる言葉に「守・破・離」がある。実はこれは「人づくり」においても十分に活用でき、「自分磨き」にも非常に参考になる考え方だ。

まずは「守」であるが、これは「型にはめること」を意味する。〝基本に忠実に〟ということで、それをしっかり身につけないと「型無し」ということに繋がる。次の段階が「破」で、この代表例が「守」での経験や学んだことなどを後輩等に教えることが考えられる。それが「共育的役割」を果たすことにもなる。最後は「離」で、この「守・破」の上に、自分自身の味つけをし、オリジナルなやり方などを確立していくことをいう。これをその時々でステップアップしていくことにより成長へと結びついていく。

私に置き換えると企業診断等を主に行った創業時が「守」、その後それを活かし、次第に研修講師等で活動することになったのが「破」、そして最近のカウンセラー業務などにシフトを移したのが「離」といえるかもしれない。あなたは「何の」、「どのステップに」あるだろうか？

第5章

紡ぐ

「1人の100歩」より「100人の1歩」を

「協同組合」というけれど

私のフィールドの一つに協同組合、即ち中小企業におけるその設立や支援等に当たる北海道中小企業団体中央会、更にはその構成員である各種の組合や、農業王国である北海道では馴染みが深い農業協同組合（通称ＪＡ）などとのお付き合いがある。これらの協同組合における一般的な設立の趣旨であるが、規模としては小さな企業が共に手を携え大企業と伍して闘う為に、共同化や協業化等をはかりながら、少しでもそれと一緒に闘う土壌づくりをなどというのが狙いであろう。その基本になるのが「互いに助け合いながら」の「**相互扶助の精神**」である。

こうして長年、そうした様々な団体とお付き合いをしていると、同じ協同組合とはいえ随分と帰属意識等で温度差があるように感じる。その付き合いの中で感じた、活動をするに際しての問題点などを「**組合等にみられる10の病**」としてまとめ、「自分達の組合はどうか？」の警鐘の意味をこめ、随分と多くの団体で講演などをさせていただいた。すると「先生、私共の組合ですが、見事に全てに当てはまります。威張れる話ではありませんが」という声をいただいたこともある。ただ、私はこの病は協同組合はもちろんのこと、実は個々の事業所においても、ある意味、共通する点があるように思う。その10の病をご紹介しよう。

〔組合等に見られる10の病〕

1. 無理解病
2. 非協力病
3. 無反省病
4. 責任転嫁病
5. 独善病
6. 他人ほめず病
7. 他人依存病
8. 自己逃避病
9. 本音隠し病
10. 無感謝病

詳細については省略するが、幾つか簡単に触れておこう。まずは「**無理解病**」。これは「何故、協同組合を作ったか？」という原点が時の経過と共に風化をし「何の為に」が希薄なことをいう。企業でいうと存在意義を明らかにしている経営理念などが独り歩きをしている状態がそれに類することになろうか。次に「**本音隠し病**」で、会議を何度か重ね、ようやく実行段階になってくると毎回、出席していたにも関わらず「俺はそんなことに賛成した覚えがない」などと平然と口にする人がいる。俗にいう「総論賛成、各論反対」といえなくもないが、こうした輩《やから》が増えると、紛糾のネタになりかねない。それなら「何故、話題になった時にそう発言しなかったのだ」と第三者からみると言いたくなる。もう一つ、「**無感謝病**」についても説明しておきたい。これは「協同組合があるのが当たり前」とする考え方をいう。

今こうして、組合員の一人として活動できる……それまでには多くの人や時間等が投入され、その土台の上に生かされているにも関わらず、そんなことにはお構い無しのような状態を指す。「協同組合」といわれるからには、せめてこの病くらいは克服してもらわなければ困る。それに疑問を感じないとしたら、組合にとっても目の上のたんこぶになっているきらいがある。何せ協同組合とはこうした感謝の気持ちをベースにした「**お互い様**」ということがあって初めて成り立っているとも言えるのだから。どうだろうか？　協同組合を軸に考えてきたが、一つの企業体としてあなたの事業所は、あるいはそれを構成する組織人の一人としてのあなたには、これに似たような症状がないか、振り返ってみる価値はありそうだ。豊かに働く為には、こうした病に早く気づき、その改善を自ら図る人であってほしい。

あるJA職員の生き方に触れて

私には農協と称されていた頃から、何かとお付き合いをしお世話になっている方がいる。農業界との輪を広げてくださったKさんだ。創業してまもなく、こんな相談を受けた。「私共、農協中央会では講師名簿を作っています。よければ石田さんもお名前を載せませんか？」と。農業界にルーツがない私にとっては千載一遇のチャンス。もちろん、二つ返事でOKをし講師名簿に掲載させていただいた。その後も転勤になる先々で声をかけてくれ、農業関係の方々との繋がりを作ってくれた。

だがその彼も定年を迎え、継続雇用を選択せず、福祉という新たな道に舵を切った。福祉はゼロからの出発で「自らも高齢者になろうとしている身で果たして？」など、様々な思いが交錯した上での決断であったに違いない。彼は長年、JAに奉職し、とりわけ人一倍、農業に誇りと愛着を持っていた方だ。あれは定年になる2年ほど前になろうか。彼が「退職の折には四国でお遍路を」と口にしたことがあるが、確か、その頃は自分の行く先をどうするか、で散々悩みぬいていたのかもしれない。でも、たった一度の限りある人生だ。ならば「残りの人生を福祉に懸けて」と。「黒子役に徹し、表に出るよりも裏で支える」という、いかにもKさんらしい優しい人柄をみた一方で、穏やかな表情の裏側に、固い意思を持つ新たな彼をみたような気がする。「生きていく」ということは**「何かを得る為」**に**「何かを捨てる」**……その繰り返しの連続である。その時々に、どう秤をかけ決断をしていくか？　そして基本的にはその結果の責任を自らが負わなければならない。それが辛いところでもあり、逆に楽しい側面を持つ。

Kさんは今まで培ってきた農協人生にひと区切りをつけ、不安を抱えながらも、それを活かし「社会福祉」という新たな分野に船出した。勇気を持ち果敢に挑戦する姿勢に心からのエールを送りたい。私はその彼から今日まで、陰に陽に「協同組合とは？」や「人としてのありよう」など、数多くのことを学ばせていただいた。そんなKさんに心から感謝をしながら、これまでのJAで培ってきたキャリアが、新天地で輝くことを願ってやまない。

「1人の100歩」より「100人の1歩」を

農業は言うまでもなく国民の生活の根幹である、食を支え、その安全・安定に寄与している素晴らしい仕事だ。そう思うともっともっと、農業者自らが、仕事に誇りを持ってもよいと思う。

ところで近年、その農業において法人化への動きが加速している。私はそれを一概に否定をする訳ではないが、どこかで疑問を抱く私がいる。確かに今日、グローバル経済の影響を受け、一層の経営効率化が求められ大規模化へ向けた動きや、加えて経営者の高齢化や、担い手不足等の現状を考える時、それなりに理解もできる。だが、私は**「経済の論理」**を金科玉条のごとく、農業に当てはめようとするのは果たしてどうか、と素人目ながら思うのだ。欧米のように広大な土地があればまだしも、この小さな島国の中にあって、常に利益を優先し、弱肉強食を当たり前にして進めていくとしたら、ただでさえ、食料自給率が低いわが国である。農業基盤がしっかりしていないと、いつか将来に禍根を残すことに繋がらないか？　どこかでこの「家業から企業へ」という、法人化の方向が後悔を残すことにならなければよいが、と懸念するからだ。

農業を知らない者の戯言かもしれないが、私は農業経営はそうした意味では個人経営が基本ではないかと思っている。そこで必要になってくるのが、天災と常に向き合いながらの職業ゆえ、それなりの保険や保証などを備えることが必要となる。

その為には「自助」という自助努力は基本だが、それをベースに「小さいもの同士が助け合いながら」の「共助」、即ち、協同組合の存在に結びつく。更には、その上で「公助」、国の農政のありようが問われる。その場合、補助金農政に慣らされ、目の前のにんじん欲しさに崇高な**農業魂**を売るようなことだけはしてほしくない。そう考えると人的結合体として、「相互扶助の精神」

を基盤にした協同組合の存在は大きい。

農協が発足をした頃は、互いに経営が大変で、逆にそれが仲間意識を醸成し一体感も強かった。だがこうして時代が変わり、経済の論理が頭をもたげてくると、協同組合への意識が希薄になっていく側面を持つ。「農協の傘のもと」は、もう既にとっくに死語になっているといっても過言ではない。となると農業自体も危ないし、わが国の将来も極めて怪しさを増す。そうしたら、私は協同組合のような組織において大事なのは、その原点ともいえる聞き慣れた次の言葉だ。「**一人は万人の為に、万人は一人の為に**」である。

そこで私は最近、次の言葉を強調する。仮に100歩進むにしても、その進み方の違いだ。即ち、

「『1人の100歩』よりも『100人の1歩』を」

と。これはそうたやすいことではないが、農協改革等が叫ばれる中にあって、改めて、協同組合の持つ意味合いを考えてみる時期にきているように思う。コロナ禍による人の分断と差別を加速させない為にも、これを機に原点に返る必要性を感じる昨今だ。その為にも「職員の為の農協」と揶揄されないように、JA職員も共に農業への夢を抱き、組合員のよきパートナーとして、「**JA魂**」を忘れず、自信を持って邁進してほしい。そして農業者同様、わが国の食を支える使

命感や誇りを胸に、時には組合員と一緒に痛みなども分かちあえる関係づくりを目指せる人であってほしい。何せ、互いに〝運命共同体〟なのだから。

また、もしかすると今後は、これまでの「職員」という役所的感覚から脱して、むしろ「社員」といわれるような働き方が望まれてくるかもしれない。なお、組合員の方々には、あえてこう言いたい。「組合員の為の農協」が前面に出ると、得てして「組合員が上で職員が下」の構図になりやすい。そうならない為には「組合員と共に」くらいの姿勢がより馴染みやすいようにも感じられるのだが。これはＪＡのみに限らず漁協なども同様で、会員などで成り立つ組織によくみられる構図であり要注意だ。そうすると本来の**パートナー関係**にひびが入りかねない。昔から「**企業は人なり**」といわれるが、総じて農業者は組織や人に関しては疎いように感じる。だが、これからは「土づくり」に加え「人づくり」も要求されてくる。「**経営は人に帰結する**」といっても過言ではない。としたら「職員を育てるのは、組合員の重要な責務」くらいに考えて、「ＪＡに入所してくれて有り難う」とか「君がいて助かったよ」などの言葉がこだまする職員との関係づくりを目指してほしい。それが間違いなくあなたの経営にブーメランのようにして返ってくる。確か、こうしたひと言などはＪＡの所内ではもちろんのこと、組合員の方々からのそれがどれだけ大きいことか。新入職員らと面談をするとそれをとみに感じる。

ところでこれは人間関係全般についてもいえるのだが、サポートなり手助けする際にとても大切なことがある。それは〝深く入り込めばよい〟という単純なものではないということだ。支援を受ける側の事情や各人が持っている力などは当然異なる。その為、相手により、求められるサポート度合いも変わる。力が弱い時は深い支援が要求されるし、力がそれなりにある時には自立を促す意味でも弱い方が正解だろう。即ち、「相手に合わせて」が重要になる。そうしないとせっかく親切に行ったにしても「余計なお世話」と反感をかう可能性さえある。その為にも日頃からのオープンマインドを軸とした人間関係の質が問われることになる。

なお、この節の最後に協同に関連して世界の喜劇王として活躍したチャールズ・チャップリンの言葉を共有化したい。あのコミカルな味から出る言葉だけに、より一層、心に迫ってくるように思うのだが。そして人としての生き方を示唆しているようにも思う。

「わたしたちはみな、お互いに助け合いたいと願っている。人間とはそういうものだ。相手の不幸ではなく、お互いの幸福によって生きたいのだ」

第5章　紡ぐ——❷

対立をパワーに変えて

互いに切磋琢磨する組織に

人間関係の中でぶつかり合いがあって当たり前だ。うまの合う人、合わない人がいても気にすることはない。いとも当然なのだから。ただ、基本としてこれだけは押さえたい。誰でも人は「他人よりも自分がかわいい」、あるいは「自分が正しい」と思っているものだ。としたら、同じ人間として、その気持ちは相手も同じなのだ。こうした共感的理解を前提にもちながら、おおいに、議論や話し合いを展開するとよい。

特に私は団体や企業においては、そうした感覚が必要だと思っている。そこにある対立や葛藤に、実は新たな成長の目があるくらいに考えたほうがよい。これまでの経験からいえば、総じて、そうした組織風土を培っているほうが強いと感じる。いつも上意下達で、シャンシャンで終わる味気なさといったらない。怖いのは、互いに本音を隠し、波風を立てないようにと無難に周りに合わせ、一見、良好そうに見える組織である。付き合いを深めると、それが裏の顔であったりする。これは組織の持つ特徴である〝**チームとしての相乗効果**〟にはほど遠く、互いに自己保身にきゅうきゅうとする姿が見えたりする。それはもはや組織の体をなしているとはいえず、集団といっても差し支えない。

組織を構成する一員として籍を置いているなら、単に相手に迎合する「いるだけの存在」ではなく、周りに一目おかれる自分を目指したい。だとしたら、キチンとした物事に対する考え方を持ち、多少の対立や葛藤があってもそれを恐れず胸を張って発信する人でありたい。「**出る杭は打たれる**」という。だが「**出ない杭は腐る**」のだ。そのどちらに身を置くかである。

私なら間違いなく前者の道を選ぶ。もしそれで組織から外されたとしたら、所詮、〝懐が浅い〟……それだけの組織だと割り切り、別な道に進む。それが前向きの生き方と思うからだ。こうして何かと不透明な世の中にあって、また、多様性の高まりが強調される時代に「互いの意見を殺して」という組織に発展ある未来を感じられない。お互いに切磋琢磨し鍛え上げながら、必要なら激論を交わす。でも、一旦、決まったら、もし自分の当初の考え方と異なったにしても、そこから先は使命感に燃えて一緒に決めた目標の実現に向け全力を傾ける……これが組織人の基本である。そしてもし、残念ながら結果として首尾よくいかなかったにしても、その挑戦を互いに讃え合い、その失敗を糧に次に生かす……そんな企業風土を築きたいものだ。「**チームの中で安心して自分の考え方を自由に発言したり、行動に移すことのできる**」……そうした〝**心理的安**

全性〟が感じられる企業への転換が求められる時代かもしれない。

「コンフリクト」の種類と対処法

組織における葛藤や対立を一般的には「コンフリクト」というが、それにも「**感情的コンフリクト**」と「**理性的コンフリクト**」がある。前者は俗にいう喧嘩に代表されるように、互いの感情のぶつけあいであり、結果、自尊心を傷つけ、後々に禍根を残しやすい。対立や葛藤はよしとしても、組織なり会社と呼ばれるからには、そうではなく〝理性的なぶつかり合い〟でありたい。それが社会人としての正常な付き合い方といえる。

このコンフリクトには、縦と横の2つの側面が考えられる。縦の対立としては「**上司とのコンフリクト**」がある。これに対応するに当たって大事なことは「論理性を身につけること」だ。その為にも、話に客観性を持たせる必要がある。データをはじめ、正確で最新の情報等を集め、論拠を明らかにすることが求められる。ただこの場合、立場の違いもあり、よほど、しっかり理論武装をしておかないと負けることが多いのは覚悟しなければならない。その場合でも、組織人として大切なことは決定をした以降の動き方にある。自分の意見が通った、あるいは通らなかった場合にも「皆で決めた」……その感覚を忘れないこと。そうしないと「実はあの決定事項は自分が提案したんだ」などと後日、鼻高々に言いふらしたり、逆に「あれは俺の意見とは違う。それを部長が」などと言ったりするのはＮＧである。それを聞く周りの者も気持ち的にしんどいし、同じくテーブルにつき議論をした者の顔がつぶされることにも繋がり、「組織の風上にもおけない」と批判を浴びる羽目になる。それがひいてはあなたの信頼に大きな影響を与える。

次に「**部下とのコンフリクト**」もある。この場合、忘れてならないのは、立場や肩書きを利用して、安易に権威で押さえ込もうとしないこと。とかく企業のように、上下関係が前提にあると「何が正しいか？」よりも、「誰が正しいか？」に向きやすい。「あの部長が言っているのだから」ということに繋がりやすく、それが下手をすると**コンプライアンス**を乱す温床になったりもする。そうすると議論をする時の姿勢としては互いに「何が正しいか？」を軸に考え方をぶつけるようにしたい。また、とかく部下とのやりとりの際、つい部下のペースに巻き込まれ、感情的なぶつかり合いになることがままある。曲がりなりにも部下を持つ立場になったからには、「いつも理性的に振る舞うこと」(但し、辛い気持ちの時などには感情移入も必要になるが）を念頭におくようにしたい。これは人事評価における面接時などにおいても忘れてはならない大事な視点である。

次に「**横のコンフリクト**」。これは課と課、係と係というような対立を言う。この場合、自部署である課や係の中での意思統一をしっかりと図ること。もちろん、互いに理性的なぶつかり合いを心がけるということが大前提になる。なお、この種のコンフリクトでは、自部署を優先した論理で動きやすい。気持ち的にはわからない訳ではないが、少なくとも管理者なりの立場についたとしたら、他部署には思いを馳せず、自分の部署のみをよしとする「**部分最適化**」ではなく、「**経営者の代行**」という役割を認識し、一段高い視点から問題と向き合う「**全体の最適化**」を目指す人でありたい。いずれにしても「**対立を成長の糧に変える人**」を目指したいものだ。

これらの縦と横の対立とは別に、もう一つ、厄介な対立が組織には存在する。それは好き嫌いなどの感情的側面がもろだしになりがちな「**同僚などとのコンフリクト**」である。これが膨らむと派閥まがいなことに繋がったり、個人的には喧嘩へと結びつく。これにはできる限り早めに対処することが必要で、その為には日頃からそれを把握する良好な人間関係づくりを心がけておくことが大切だ。お互いに腹を割った〝**オープンな人間関係**〟が問われている。

ファシリテーションの重要性

私が企業などと関わる場合、最近、よく第三者として担う役割がある。その一つが「**会議の活性化**」などについてサポートすることだ。具体的な例を出してご紹介しよう。よくあるのが農業法人からの依頼である。近隣の農業者が集まり一つの会社を作ったのはよいのだが、お互いに家業的感覚が抜けず、各々が勝手なことを述べ、まとまりのない非効率な会議になったり、あるいは一旦、せっかく役員会議で決まったにも関わらず、「自分の考え方とは違う」などと部下に平然と言いふらしたりして、「組織としての統制がとれず、何とかしたいので」などがそれである。その場合、第三者という立場を堅持し、基本的には議論の内容にはタッチせず、進行面等においてサポートする……これは近年、会議等をするに際し話題になるファシリテーション的な考え方といえよう。

ファシリテーションとは「**中立的な立場で、チームのプロセスを管理し、チームワークを引き出し、そのチームの成果が最大となるように支援する**」(プレジデント社刊「ファシリテーター型リーダーの時代」フラン・リース著、黒田由貴子訳)ことをいうが、そこでの「**ファシリテーター(協働促進者)**」としての役割に近いかもしれない。会議の活性化を図ると共に、決まったことはキチンと互いにコミットするように仕組む役割くらいに考えられようか。ある意味での「クッション役」くらいをイメージするとよいであろう。

議論をするのは参加をしている役員の方々で、私は内容にはあまりタッチせず、進行に当たってのコーディネートくらいに考えるとわかりやすい。会議における黒子役として、あくまでも会議での脇役に徹するのだ。そして会議が本来目指すべき、「**限りある時間で、目的にあった最大限の成果と、互いに満足感のある会議**」に近づくことが可能になる。それがこれまでの私自身のキャリアが生きてくるような気がして、その役割に心地よさを感じている。

私がその場合に大事にしているのが「**チームの一体感**」と「**個人の納得感**」だ。となると、結論を出すことばかりにとらわれずに、結論に至る過程を大切にすること。とかく「**何が決まったか**」に意がいきがちだが、「**どのように決めたか**」によって、その後のチームとしての成果にも大きく影響を及ぼす。その為にも「人を見る」ではなく「チームを観る」という感覚を忘れないようにしたい。

そうすると、グループとの関わり方としては、テーマや結論など「**そこで話されている事柄**」も大切だが、むしろ、コミュニケーションのあり方やチームの雰囲気など「**そこで起こっている事柄**」に注目しながら進めていく必要がある。前者は見ようとしなくても見えるが、後者は見ようとしなければ見えない。ミーティングを預かるような立場になったら、後者を忘れないようにしたい。意思決定とは「**限られた時間などの中で、グループ討議の過程を通じて、全員に受け入れられるような選択肢を皆で見つけ出すこと**」ともいえるのだから。

とかくわが国の文化として声の大きい人や多数派に同調するなどの傾向が強い。それが組織の持つメリット面を奪うことになりかねない。どちらにしても皆、貴重な時間を費やし参加しているのだ。そうしたら、よくいわれる「**会して議せず、議して決せず、決して行わず、行って責をとらず**」のスタイルはご勘弁である。なお、そのために、まずは「全員発言」や「時間厳守」

「役職不要」など、会議におけるグランドルールを全員で決めて行うなども一つであろう。

人間関係のマンネリ化に抗して

こうした役割は上下関係が働く組織の内輪のみでは難しい側面があり、第三者だからこその持ち味ともいえる。確か、こんな役割は還暦前なら難しかったかもしれない。でも、こうして年齢を重ね七十路半ばになった。としたら、それが私の果たすべき〝**個人的な役割**〟と思ってもバチが当たらないであろう。これが私のキャリアを生かす道の一つでもある。あなたも自分のキャリアを改めて見つめ直し、職務文学規定などに定められている「**組織から与えられた役割**」のみに安住することなく、「**自分が作る役割は何か?**」も考え、自ら実践するあなたであってほしい。確か、一目おかれる存在になろう。

なお、この節の終わりに「人間関係のマンネリ化」の話をしたい。人と人の関係は、まずは緊張感からスタートする。だが、やがてそれが薄れ、いつしか自分(達)に都合の良い興味や関心のある情報しかいききしなくなる。そうすると必然的に、環境の変化や外部の動きが鈍くなり、各人の考え方や行動などが均一化、画一化されていく……即ち、これが〝**組織のマンネリ化**〟だ。としたら、常にそれを念頭におき、新たなプロジェクトを立ち上げるとか、人事異動等で、意識的に新たな刺激を与えていくなどを考えていく必要があろう。いずれにしても「**組織はその内側にマンネリ化の種を持っている**」くらいに考えて、組織運営を図っていったほうが良さそうだ。仮に会議の場でもそれを感じたら、席を変えるだけでも多少、景色は変わるはずである。また雇用される立場にある者は、少し慣れてきた頃に「果たして今の自分はマンネリ化に陥ってはいないか？」と自問自答してみるくらいが正解であろう。

なお、こうして環境激変の時代になってくればくるほど、頭をよぎる言葉がある。それはわが国の発展に大きく貢献した勝海舟によるものだが、「果たして今の自分はどうか？」……特に組織の上に立つ者は常に脳裏に刻み込んでおきたい。

「世間は活きている。理屈は死んで居る」

実に意味深く、この言葉を知った時、理論や理屈で語っていたこれまでの自分をどこかで感じ、顔を隠したい私がいたのを覚えている。

体は遠くても心は近くに

自己責任の裏側で

世界を震撼させた東日本大震災。あれから既にひと昔が経過した。その頃からよく耳にするようになった言葉がある。それは「自助」「共助」「公助」である。「**自助**」が出発点と思われるが、その裏側で強調されるのが「**自己責任**」だ。私はそのことを全面的に否定をする訳ではないが、そればかりが表に出てくると「果たして？」と嫌悪感を覚える私がいる。なんとなく尤もらしく聞こえるが、そこに逆に責任逃れの〝危険な香り〟を感じたりもするからに他ならない。

「ＴＯＫＹＯ２０２０」が華やかに開催され、わが国のアスリート達の見事な活躍ぶりでメダルラッシュが続く。それは日本人として、時には誇りにさえ感じたりする。ただ、その一方で新型コロナの感染が急拡大し、首都圏をはじめ、わが北海道でも医療の逼迫が現実味を帯びてきたのは記憶に新しい。そうすると選手には恨みはないものの、メダル受賞に両手をあげて喜ぶことに躊躇する私がいる。私自身もとても複雑で、まさに一つの心が分断されているようにさえ感じてくる。「世界を一つに」を掲げ、「**多様性と調和**」をメインにしている「TOKYO2020」。「安全・安心の五輪の開催」というが「**安全**」とは状態のことをいい、「**安心**」は心の有り様をいう。国民の多くが開催に否定的であるということは、特に後者が満たされていないことの表れだ。昨年来の動きをみると「まずは五輪ありき」という政治に、観光、飲食を始めとする経済が振り回されているように思えてならない。せめてそれならそれで、この緊急事態宣言下で「それでも何故、行うか？」という明確な発信があってしかるべきだ。企業もそうだが、それが信頼を背負ったリーダーとしての責任の一つでは、と思うのだが。

ところでお互い、長い人生の中では山谷があって当たり前だ。その谷になった時には、自分で努力し、どうあがいても、どうしようもない時だってある。そんな時には、周りの人や地域などから手が差しのべられる、そんな社会であってほしい。これは誰もが願うことであろう。その為には「お互い様」の精神が必要で、「**他人の苦しみは自分の苦しみ**」として捉え、「**自分の欲することを他人に施しなさい**」というキリスト教にある黄金律の精神で。こうして物事に対する際には、「自分ならどうか？」と、常に他人を思いやれる関係が築けたとしたら、間違いなく生きやすい世界になる。その為には、「**辛い時には他人に頼るのをよしとする**」……そんな風潮を培う必要がある。これが「**共助**」である。

ところで今からひと昔も前のことになろうか。よく、企業において「勝ち組」「負け組」と色分けをしながら語られていたことがあった。だが私は経営コンサルタントという仕事をしていながら、その言葉に違和感を感じていた。もちろん、この社会において、すべてが平等とはいかない。勝ち負けがあって当然だが、この「勝ち組」という表現には、どこかにある種の傲慢さを感じ、思いやりなどにはほど遠い……そんな感覚を覚えていたからだ。そうして言いたかった。「そういうあなたは心の敗者ではないの」と。なお、共助にも自ずと限界がある。

そこでいよいよ「**公助**」、政治の出番になる。果たしてこの度のコロナ対策においても、これをどれだけ実感しているだろうか。私はその大きな要因の一つに政治を預かる面々の、危機意識の希薄さがあるように思う。**リスク管理**とは「最悪の状態を想定して」が基本だが、どこかでそれを甘く見過ぎてはいなかったか。国民性に甘え、自粛に頼り過ぎ、本来の政治のあるべき姿を忘れてはいなかったか？　我慢やモチベーションはそう長続きするものではない。その為には長続きさせる工夫が必要になるが、それは発信する側の信頼をベースに、「先はこうなる」という考え方に共鳴し、我慢もでき、やる気も長続きする。同じ言葉であっても、それを発する**モチベーター**により思いは大きく変わる。その信頼度合いがどうかである。これは産業現場や、あるいは親子関係など人間関係でも同様である。そうした信頼の薄さが、宣言が心に響きにくいものに結びついているように思えてならない。

なお、この公助に関して、私のお付き合いをしている企業でも、何とか雇用調整助成金等を活用し、社員の雇用を守り、この危機を乗り越えようと必死に頑張っているのを目にすると、今ほど、この重要性を感じてならない。こうした時にこそ強力な「公助」の力をと願いたいものだ。互いに「明けない夜はない」……その言葉を信じて。

「感謝の輪」をより一層、広げよう

「TOKYO2020」は、当初に思い描いていた「復興五輪」の影が薄れ、新型コロナ対策の防波堤のような色を増している。だが、私はあえて言いたい。コロナ禍が私共から奪ったものは何か？　その最たるものは、人間関係を希薄にさせ、亀裂や分断などを生み、「**ニューノーマル**」という言葉に象徴されるように、「これまでの当たり前が崩された」ことのように思う。今まで至極、当たり前であった仕事がなくなり、楽しかった友人との会話や飲食の機会も奪われた。更にはまた、毎年、恒例になっているお祭りなど、多くのイベントが中止に追い込まれた。更には遠隔地にいる親子で会うことも困難になり、リモートへと変わるｅｔｃ。

感謝の言葉の代表はいうまでもなく「有り難う」である。「これは滅多にない、難しい出来事が有った時」に感謝をこめて使う言葉だ。今回のコロナ禍は、その〝当たり前〟をくつがえし、今まで当然と思っていたことが、実は〝滅多にないこと〟であることを教えてくれた。とにかく、コロナ禍が沸き起こった以降、従来からあった「当たり前」が「滅多にないこと」に、いやが上にも変わらざるを得ない昨今だ。ならば、本来、コロナ禍に打ち勝つとは、**「感謝の輪を広げていくこと」**にあるのではなかろうか。これまで当たり前であった「食事を取るのも有り難う」「旅行ができるのに有り難う」「体が自由に動かせて有り難う」……こうした「有り難うの輪を全世界にコロナウイルスに負けずに広げていくこと」……実はそこにこそ、コロナ禍に打ち勝つ意味があるように思う。もしかすると、平和風に浮かれ、そうした感謝の心を失いつつあった人類への警鐘が今回のコロナ禍にはあったのかもしれない。としたら東日本大震災があって満10年が経過したとはいえ、まだまだそれは復興途上にあるのが現実だ。それをコロナを理由に、五輪の後ろに追いやることは全くの筋違いで断じて許されない。平和の祭典が泣くし、そもそもスタート時には「無形のレガシイ（遺産）を残す」と言っていたではないか。

よく**「ピンチはチャンスだ」**という。そうした中でも随所にその萌芽が芽生えつつある。このコロナ禍を逆手にとって、かつての商売がたきの飲食店が連携をしたり、子供食堂の広がりや、世界的には**「SDGs（持続可能な開発目標）」**が一般化していくなど、感謝の輪が拡大しつつある。コロナ禍が終息する折には、これまでの働き方を大きく変えた、テレワークはもとより、リモートやオンライン等による良さを生かしつつも、従来以上に〝**人としての互いの関係性**〟が深まることを願ってやまない。

「より良い人間関係づくり」と、「ストロークの重要性」

関係性を深める為に、改めて重要な点を確認しておきたい。まずは「**受容的態度で望むこと**」。即ち、相手をありのまま受け入れることで、事の善悪や好き嫌いなどの感情を抜いたやりとりを心がけることだ。次にやりとりをする場合は、かしこまったりせずに、態度は構えや飾りなく自然体を目指したい。なお、その場合でも品位を保つことはいうまでもない。次に**共感的理解を大切に**する人でありたい。「**共感**」とは「相手が抱いている感情を、相手の立場で把握をし、気持ちを共にすること」をいう。ちなみにこれと似たような言葉に「**同情**」があるが、これは「目の前に起きている状況を自分の基準に照らして感情表現をすること」であり、明らかにそこには相違がある。

また、コミュニケーションを取る際には、相手に興味や関心を持つことはもちろんのこと、**相手のペースに合わせる**ことも重要だ。あるいは必要により沈黙にも付き合う勇気を持ちたい。そして**心理的距離**を大切にすることも大事だ。

人は近すぎるとついなれなれしくなるし、逆に遠すぎると冷淡に感じられたりもする。その為に大事なことは「**温かいがなれなれしくなく、冷静だが冷たくはない**」……そうした関係性づくりを心がけていくことだ。

それに関連して非常に重要な役割を果たすのに「**ストローク**」がある。これは「**相手の存在を認めるすべての動作や働きかけ**」をいう。それにもタッチの有る無しで**身体的**と**精神的**に分かれ、更には、それを受ける相手の気持ち次第で、**肯定的**と**否定的**に分かれる。代表例としては身体的では、肯定的が「頭を撫でる」、否定的が「叩く」、精神的では、肯定的が「頬笑む」、否定的は「にらむ」などがある。

「人は皆、ストロークを求めて生きている」

ともいえる。身体に食事を与えるように、心にこのストロークを、と思うとよい。

なお、ストロークの中でもとりわけ大事にしたいのが「精神的な肯定的ストローク」だ。私はこれを〝**心の栄養**〟と呼んでいる。その代表例が「褒めること」である。それが人の成長に大きく影響を及ぼす。また、このストロークには「**ストロークバランス**」が働くことも忘れてはならない。もしあなたの友人から最近、このストロークがあまりきていないとしたら、もしかすると、あなたのほうからも発信していないのではなかろうか。「ストロークは与えれば与えるほど、受けた側がストロークを返したくなる」という心理原則があることを念頭においておきたい。このストロークが全くない状態を「**ノーストローク**」、または「**ゼロのストローク**」ともいう。即ち、「**無関心**」のことだが、これは良好な人間関係にとって最大の敵といえる。ストロークの是非があなたの人間関係を大きく変える。その為には**ストロークの出し惜しみ**をしないことだ。人間味豊かな関係づくりに向けて、ストローク（とりわけ肯定的ストローク）の花を咲かせようではないか。そして互いに最高のストロークは、

「相手に関心を持ち、絶えず細心の注意を払うこと」

であることを肝に銘じて。

こうした時代だからこそ、あえて確認しておきたい。人を人間に変える為に……。

コミュニケーションにおいて

「Face-to-Face」……「これ以上の手段はない」

と。

言葉は薬にもなるし毒にもなる

人が人間になる為に

最近はコロナ禍による「密を避ける」ということもあり、対面によるリアルなやりとりから、テレワークの推進をはじめ、リモートやオンライン化への動きは一気に加速し、デジタル化への波はこれからも更に拍車がかかるに違いない。それはそれで大きく意義があろうと思うが、利便性を獲得した裏側で「人間」が「人」へと回帰しないことだけは願いたい。この流れでいくと、「いつしかスキンシップなどという言葉もやがて死語になるのでは」と、いらぬ心配をする私だ。時代の流れは認めつつも、だからこそ、より一層、「こころ」の繋がりを大切にしてほしいと思う。それは住みよい社会の為にも必須で、あなたの生き方、働き方にも間違いなく繋がる。

一人のアナログ人間の遠吠えで聞き流してほしくない。そんな意味で私は、どんなに時代が変わってもコミュニケーションの基本は「Face to Face」と譲る気は更々ない。ちなみにコミュニケーションはよく「意思疎通」や「情報伝達」、更には「分かち合い」などと訳されたりする。より具体的にいうと「**人間関係を促進することを目的に意思や態度を共有化することを期待して、送り手と受け手が相互に伝達や交換する過程**」ということができよう。対人関係における相互作用をいい、先述したが「**コミュニケーションと連帯感は正比例する**」くらいの押さえ方をしておきたい。

なおコミュニケーションにも言語と非言語があり、ここでは前者にシフトして考えてみたい。「**話の3要素**」というのがある。それは「**事柄**」「**欲求**」、そして「**感情**」をいう。一般的に言葉として現れるのはこの内、大半は事柄で、言葉になっていない欲求や感情は、その底に眠っている場合が多い。あなたにもこんな経験はないだろうか？　なかなか気持ちの辛さを言葉で直接的に表現できずに会話していると、聞いていた相手から「それって辛いですよね」などと言われ、とても嬉しくなり、「この人なら気持ちを開いてもっと話してもよいな」と思ったことが。となると言葉に現れている表面的な事柄という単純なやりとりではなく、言葉の裏に眠る「この人は何を訴え」「どのような気持ちでその言葉を発しているか」という思いでやりとりをすることが重要だ。

実のある会話にする為に

会話をするに際して主だった留意すべき点をあげる。

一つは何といっても「**受容**」である。この基本は「裁かないこと」にある。だが、実際には「自分の考え方に固執する」などで、これが苦手の人も多い。また、これは誰にでもあることだが、自分に問題がありすぎると相手の話を聞くのは難しい。だから私はそうした時に相談を受けた際には「申し訳ない。明日に回してくれる？」などと対応することが多い。

次に「**質問**」がある。研修などにおいてもそうだが、終了後にこれがないと何となく寂しい。「関心がないのかな？」などと勘ぐったりもして。質問には大きくは2つの意味がある。「**リレーションをつくること**」と「**情報収集**」だ。質問の種類も様々あるが、せめて「ハイやイイエなどで簡単に答えられる」、即ち、「**閉ざされた質問**」と、「経過や感情など、その思いを伝えなければならない」……「**開かれた質問**」の2つくらいは知り、これを上手に使い分けられる人でありたい。ちなみに前者をあまり繰り返すと「質問」が「尋問」に捉えられる可能性もある。また、より深く相手の心に接したいと思うなら「相手におしゃべりをさせること」……即ち、後者の方が有効であろう。

技法の3つ目としては「**明確化**」があげられる。これは聞き手が自分の言葉に置き換えてフィードバックをし、話し手側に本当の気持ちや本音に気づかせることをいう。例えば「あなたの本当の気持ちは……なのではないですか？」も一つである。次に「**繰り返す**」も大事だ。これは話の区切りで相手の話のポイントを整理して返してあげること。その場合、話の枝葉末節を切り捨て、先述した話の3要素を基本に、「要点だけを」がみそになる。「つまり」や「わかりやすく言うと」などがよく冒頭で使われる。そうして聞く側が〝鏡の役割〟を果たし、その過程を通じて話し手の自分みつめに繋がる。もう一つは「**支持**」である。これは新入社員があなたに「私、この会社に入ったのは正解だったのでしょうか？」などと言われた時、「そうか、君もそんな時期がきたか？　実は私も入社し半年後の頃、君と同じ気持ちになったものだ」のようなやりとりをいう。「**You are OK**」ということで相手に賛同や是認を与えることになる。

言葉が持つ重要性

言葉が非常に怖いのが、発する言葉一つが薬にもなるし毒にもなるということだ。私が就職支援で相談業務をしている時の失敗談を一つ。当時は有効求人倍率が1・5くらいの求職者にとっては追い風が吹いていた頃のことになる。

ある40歳代の女性が相談に来た。そうして相談の定番となる履歴書と職務経歴書を見せてもらう。そこには6箇所ほど転職を繰り返してきた、彼女の職歴が並んでいた。「あなたも随分と苦労され、何かとわたり歩いてこられたのですね」と、口をついてしまった。彼女の顔が一瞬、曇った。「しまった」と思ったが一度、発した言葉は消えない。多少、間をおいて彼女が寂しそうにひと言言った。「私のような者は珍しいのでしょうか？」。当時は企業にとり最も頭の痛い一つが、人材確保であった時で、ハローワークでも閑古鳥が鳴いていた時期である。そうした状態の中で悩みながら求職で足を運んできた、その人の気持ちを考えると「わたり歩く」などという言葉は禁句といえる。その後、素直な気持ちでそれを謝罪し、何とかある企業と繋ぐことができ、体面は保たれたが。この私のひと言は彼女には毒か武器になったのではと反省しきりの私だ。

あるいはこれとは逆に、その言葉一つで仕事の疲れが吹っ飛び、辛い気持ちを救ってくれることもある。私は就活などの相談に乗った際、別れる時に以前は「**頑張って**」が一般的であった。だがある時からこれを「**頑張ろうね**」と言うように心がけている。前者は何となく他人事に映るが、それに比して後者は「一緒に」という発信になり、受け取る人にも微妙に影響を与えると思うからだ。このように言葉は魔物で、薬にもなるし毒にもなる。そんな意味では互いに気持ちを良くする次の言葉は積極的に使うとよいであろう。

「**言葉の七福神**」というのがある。「うれしい」「楽しい」「しあわせ」「愛してる」「大好き」「有り難う」「ツイてる」という7つの言葉だ。その他にもあなたなりに心地よい言葉を見つけ遠慮せずに使ったらよい。実はこれらを他者に使うことはもとより、内なる自分にも積極的に発信することで対人関係を良くする為に役立つ。あなたの成長に向けて背中を押してくれるのは間違いない。

言葉が邪魔になる時もある

最近、スマホなどでの会話が一般的になり、あるいは若者特有の短文でのやりとりなどもあり、言葉が粗末にされているように感じる。その一つが私は「**単語族**」と言ったりするが、日常会話において気になるのが「**大丈夫**」と「**すみません**」の2つの言葉の多用化だ。これが頻繁に使われ過ぎで、それがコミュニケーション上、誤解を生じることに繋がりかねないという懸念を持っている。このように人間関係の中で言葉が持つ意味は非常に大きい。

ところでこの言葉だが邪魔な場合もあるのを念頭においておく必要がある。例えばお通夜の席などは言葉よりも目における会話の方が、より気持ちが伝わったりする。あるいは職場では次の点には留意した方がよい。

あなたが部下のA子から心の悩みに関する相談を受けたとしよう。あなたにとっては「かわいい部下のA子がこんなにも悩んでいるのだから」と「こうしたら」「こんな方法もあるよ」と次々と提案した。その場合だが、A子の心がコップだとしたら、そのコップが満杯で苦しくなりあなたに相談をしたのかもしれない。そこにいくら「答えを入れよう」としても無理がある。少しスペースを空けてやらないとあなたの言葉が入る余地がない。そこで重要になるのが〝**おしゃべりの効用**〟だ。相手に話をさせ、コップの水をぬいてあげる必要がある。またその為、沈黙にも付き合う勇気が求められる。その沈黙に付き合いきれずに、質問をいれたりし、本来、聞き役のあなたが話し手に変わるなどはよくある例だ。「**沈黙を聞く**」という姿勢が極めて大事だ。なお、あまりにも沈黙が長引いた場合には、これまでの話の要点を振り返ってみるなどで対応するとよい。

ここで重要な点を一つ。それは〝**女性からの相談**〟の場合である。一般的に男性の相談は「答えが欲しいが為」といえるが、女性は「話を聞いてもらうこと」の意味が濃い。としたらあなたが部下可愛さゆえ、アドバイスすればするほど気持ちが離れていく可能性が高い。要注意である。どちらにしても会話でのやりとりも含め、コミュニケーションは組織人として、更には生きていく上からも、非常に大切なスキルである。アンソニー・ロビンスがこんな言葉を残している。

「コミュニケーションの質が人生の質を決める」

第5章　紡ぐ――❺

人生は「つむぎ愛」

縁を紡ぎ、人を育む

今から4年前の6月、久しぶりにわが著を上梓した。タイトルは「縁を紡ぎ、人を育む」で、副題に「生き方・仕事ぶりを高める人生35訓」として。これは私自身が古希を迎えた証しにと考えてのものだ。こうして約四半世紀ほど、講師を生業にしてやってきてはいるが、言葉はその場で消えてしまう。そうすると私の足跡が形として残らない。もちろん、私の講義等を聞き、それで影響を受け、多少は組織や人によい意味で変わるきっかけくらいにはなってはいると勝手に解釈しているのだが。

そうした中、最近の10年ほどは、農業関係の月刊誌にコラムを連載したりするなどの機会が増え、仕事上における対象も中小企業から、より幅を広げつつある。そう思っていた矢先に思いもかけぬ出来事があった。拙著を発刊する前年、2016年夏に、相次いでやってきた台風である。農業王国といわれる北海道が、大きな痛手を受けた。そこで拙著の発刊に際し拘ったのが表紙である。見舞いの意味も込めて「縁よ甦れ！」の思いで鮮やかなグリーンにした。その当時から、これまでの農業者とのお付き合いの中で感じていたことの一つに、北海道の主要産業であるにも関わらず、今後のアキレス腱の一つに間違いなく、「組織や人づくり」がある。その足腰を強くすることは北海道全体の発展に繋がる、そうした思いが膨らみ、自分のこれまでの培ってきた知識や経験等が役立てばという思いを抱いていた。

すると不思議である。その思いが行動にも繋がり、針が自然の流れのように動きだし、お蔭で随分と農業関係者との付き合いの幅が広がった。私はよく研修等で「**意識は行動の原点**」というが、まさにそれを体感したように思う。ただ、それを演出してくれているのは、再三、これまでも言ってきたが、どうも「縁」のように思えてならない。しかも段々とそれが私を故郷に連れていく。まるで「故郷に錦を飾れ」と言わんばかりに。あるいは「有終の美を故郷で」とでもいうように。私にとってはこんなにうれしいことはない。それが仕事のやりがいに繋がり、その仕事を進める中でより一層、鍛え上げられていく……そんな構図に思えてならない昨今である。

縁の不思議

拙著の発刊後、とても嬉しい心に響く出来事があった。翌年、年が明けた2月に出版先からお詫びの手紙と、あるものが同封されてきた。オルゴールつきのバースデーカードだ。拙著からは私の住所がわからず、「なんとか気持ちを伝えたい」と、出版先を経由する形で私の手元に届いたのだ。本来なら「すぐにお礼の電話でも」となるのだが、発信者の札幌在住はわかるのだが、肝心要の名前がわからない。でも転送されてきた手紙を見て感動することが幾つもあった。封書にはカードと葉書が同封され、封書の表には「『縁を紡ぎ、人を育む』読後感想を石田氏と編集の皆様に感謝して贈ります」と書かれている。本文では「北海道の著者の〝人・心・縁〟を慈しむ良書に感銘を大いに受けました」から始まり、最後の締めの言葉も、私の心の扉を開くには十分だった。「私も以前からモットーは石田氏と共通していて〝**生かし愛、響き愛、学び愛**〟です。しかも、帯広生まれの札幌育ちなのです」と。著者の私にとっては至上の喜びだ。そして、しみじみ思った。「書いてよかった」と。大変恐縮だが、改めてこの誌面をお借りし、心からその方に感謝を申し上げたい。また、いただいたカードで初めて知ったことがある。「中島みゆきさんと同じ2月23日生まれの石田邦雄殿へ」で、あの十勝出身の有名人の一人である中島みゆきと同じ誕生日であることを。手紙をくれた方とは「帯広出身」という同郷で繋がり、中島みゆきとは誕生日が奇しくも一緒。こうした共通点があるだけで急に親近感が増すから、人の心というのは不思議である。しかも私が研修等で受講者との初顔合わせの際、「よし、頑張ろう！」と気合いを入れる意味で、ウォークマンを耳に多くの歌から元気をもらうが、その内の一曲が、彼女の「ヘッドライト・テールライト」なのだ。だから私の携帯のアドレスは、その曲の最後のフレーズでもある「旅はまだ終わらない」をアルファベットにしている。それに気がついた人からは「先生、今、どこを旅していますか?」というメール文が届く時もしばしば。そんな訳で頂戴したバースデーカードは、今も大事にデスクの中にしまわれており、私の大切な宝物の一つとなっている。こう考えると縁とは本当に不思議なものだ。こうして幾つかの偶然が重なり、知らなかった方とも急速に気持ちが接近する。

教えられた「おもいやり」の大切さ

この発刊に際し、もう一つ心躍ることがあった。診断士の大先輩で創業当初、何かと面倒をみて可愛がってくれた札幌在住のK先生から丁寧なお手紙を頂戴したことだ。先生と初めて対面し語り合ったのは、もうかれこれ20年以上も前になろうか。先生が十勝の、ある農協の記念誌作りの仕事で来帯され、その際に、一緒に会食をさせていただいてからのお付き合いになる。

手紙の一部をご紹介しよう。「読み進みながら、あなたの言動を診断士試験の最終試験の頃が浮かんできた。早速、お祝いをと思いペンを執ったが、長らくの御無沙汰で住所がわからない。気にしながら今日まで遅れてしまった。先日、古い本箱の探しものをしていたら当時の名簿が出てきたので、改めてペンを執った次第である」と。実はこのK先生は投函した時点で100歳を超えている。拙著の新聞広告を見て、早速、書店まで足を運び購入してくれてのこの手紙だ。その心の優しさに、思わず涙ぐむ私がいた。こんなにも久しくお会いをしていないのに、こうして思い出して手紙をくださる。私が逆ならどうかと考えると、おもいやりのなさに顔を隠したいのが正直な心境だ。

その手紙にも書かれていたが、投函した時も未だ放送大学にて学び続け、白寿での卒業は過去最高齢ということで東京のNHKホールで行われた卒業式で「学長特別表彰」を受けたという。何かと頭が下がりっぱなしの私だ。

考えてみると先生は長年、農協関係とのお付き合いがあったようで、結構、道内にある農協の記念誌作成を任されたり、あるいはその当時は農業簿記における先駆者的な役割を果たしていたように記憶している。その教え子の私だが、今はお蔭様で農業者向けの月刊誌に連載でページを頂戴したりJA関係とのお付き合いが深まっている。職員研修をはじめ、組合員に毎月配布される広報誌にも道内の幾つかのJAにて、連載でコラムを書かせていただいたりもしている。その他にも農業を全く知らない私が、こうして農業者の方々と繋がっているのは、どこかでK先生との縁もあるように思えてならない。先生が背中で教えてくれた農業者への熱き思いを、私も微力ながら引き継いでいけたらこんなに光栄なことはない。更には先生が全身から醸し出す、あのなんともいえない穏やかな風貌に近づけるよう見習って。

これらの方達が教えてくれた沢山の愛があるが、「**愛**」は「**心を受ける**」と書く。そんな行為一つひとつが、各人の「心を紡ぎ」「人を育む」ことに繋がっていく。こうした輪が次々と花開いてくれたら、世界は物心共に豊かになっていくに違いない。だから私は、

「人生とは紡ぎ愛　人生とは支え愛」

という感覚を今も、そしてこれからも大切に育んでいこうと思う。これは働く現場ではもちろんのこと、各人がすてきに生きる為の大きな一つのヒントになるように感じるのだが。

ちなみに小生の事務所名に使っている「めでる」だが、これは人や自然などを「愛でる」、あるいは「芽が出る」というかけ言葉の意味がある。私が働く上で、更には生きる上においてもとてもこだわりをもつ言葉の一つである。

第6章

生きる

生かし、生かされて

人生、いろいろ

私がこの世に生を受け75年。特にこの間の講師人生を軸に「働くこと」「生きること」について振り返りながら語ってきた。国鉄マンであった父は私が5歳になる直前に亡くなった。当時は国民病とも流行り病《やまい》ともいわれた結核が命を奪った。それから2年後に妹と2人、母の再婚に伴い、伊藤から石田へと姓が変わった。小学校は全校生徒が50名足らずの僻地校で、中学校と高校は汽車通学をしながら学んだ。そして家庭の事情で進学を断念し国鉄マンへ。その年は戦後復興を高らかに謳い、国民がようやく手にした白黒テレビで感動を味わった東京オリンピックのあった昭和39年である。

その後、目指した駅長がかぶる紅い帽子はいつしか赤鉢巻へと変わり、労働組合運動にドップリと染まる私がいた。その縁もあり労働組合からの推薦を受け、故郷である新得町の議員の末席へ。だが、その後、不本意ながら離婚も経験。それをきっかけに不惑の年といわれる40歳で転職をし、男の厄年の42歳で、中小企業診断士の資格をメインに独立開業をした。

それから30年ほど経過し後期高齢者となった今も組織開発や人財育成を中心にこうして道内を軸に活動している。有り難いことだ。その大雑把にみてきた軌跡にも「気づき」と「感謝」がベースにあったように思う。まさに「人生いろいろ」である。あなたにはどんな人生の軌跡があったのであろうか。

人は関係性の中でこそ生きられる

私は昔も今も「関係性」をとても重要視している。最近、とみに研修等で口にする言葉がある。それは、

人は関係性の中に生き、
人は関係性の中で生かされ、
人は関係性の中でこそ磨かれる

である。この間の人生でみつけた私なりの人生哲学だ。

先ほど離婚の話をしたが、先妻との間には一人息子がいる。彼は今年で五十路の仲間入りをした。彼は父親の上をいく「バツ2」である。こうした息子を見るにつけ思う。もしかしたら、私達、両親の離婚により、ある種の**刷り込み**が行われ、それに対する抵抗力が弱くなり、結婚への彼の価値観に微妙に影響を与えているのでは、と。なお、息子はその上に、負の資産ともいえる自己破産の経験を持つ。流石にその時は、「どうなるか？」と、息子の将来を案ぜずにはおれなかった。だが、彼の持ち前のポジティブさなどもあって、お蔭でひねくれもせず、真っ正面から人生に立ち向かってくれているのが救いである。今はそうした人生における「**まさか**」**の**「**坂**」を幾つも乗り超え事業を興し、精一杯頑張っており頼もしい限りだ。父としては、このまま地にしっかりと足をつけ、**すべての経験を糧に**して、息子なりの輝く人生を手にしてほしいと願ってやまない。

その彼が今から3年前、8歳年下の方と結婚をした。聡明な頑張り屋さんで、今は、「父と娘」としてメールでやりとりをする間柄にある。昨年も彼女は「夫の仕事の助けになれば」と、これまでのキャリアとは全く関係のない国家資格にチャレンジした。だが、僅か、平均で1点が足りず涙をのんだ。「お父さん、私、悔しくて泣きたい」と、気持ちを素直に開示したメールが届いた。ただそれにめげずに翌年再チャレンジし見事に合格。お陰で70歳代半ばにして念願の娘が1

人できた……遅きに失した感は否めないが、そんな付き合い方が息子の連れ添いとできるのが嬉しい。そして籍をいれて間もなく、私にとっては目に入れても痛くない可愛い孫娘も授かった。今は日々の成長を見たくてしょうがない心境だが、息子夫婦の住むのは札幌。新型コロナが邪魔して久しく会ってはいない。一昨年、私の元嫁の父が100歳を数えて間もなく大往生を遂げた。その際に初めて親子3人でわが家を訪れ、夜にはヨチヨチ歩きの孫共々、地元で有名な焼き肉店で会食をし、それ以来、会わずじまい。新型コロナに恨み節の一つでも歌いたくなる心境になる。

別れと出会い

私が先妻と離婚を決めた時、息子は小学2年だった。彼を膝に抱き私はこう説いた。「パパとママは別れることになった。お前はママについていって、ママを助けてあげてほしい」と。息子は私の胸に抱かれ「どうして別れるの？　ねぇ、どうして？」と子供心に泣きながら私に迫った。先妻との別れは「お互いに憎しみがあまり深まる前に」という思いで出した結論だった。そうした別れ方が正しいかどうかはわからないが、それがどこかで息子の為になる……と感じて。

妻は別れてから旭川に住所を移し、スナックのママをし、出張に行った折には必ず立ち寄る店の一つであった。すると私とテーブルの逆側に位置して座る、よくみる顔がある。何度か、足を運ぶと彼への対応で感じるものがあった。やはり予想通りで、彼女はそのM社長の後添えに収まった。それを感じさせまいと店の女性陣が気を遣い、請われるままにカラオケで歌う毎日。定番の曲は海の若大将といわれた加山雄三の「海、その愛」で、雇われていたKさんなどとは、よく笑いながら「3年目の浮気」を、時には先妻とも「愛の奇跡」を仲良くデュエットをしたものだ。今、考えると早い話が、私は守銭奴の犠牲になっていたのかもしれない。そうした頃を思い出しながら息子が言う。「スナックでは法外の金をとられ、親父、気の毒に」と。

そんなある日、私が旭川で講演があった時、先妻がM社長を連れ夫婦で受講してくれた。さすが、私の元嫁だ。M社長に一度、元夫の話を聞かせたかったのであろう。私は彼とは直接、話をしたことはないが、豪快で快活そうな人にみえた。だが、彼が経営する会社がその後、倒産の憂き目にあい、やがてそれを機に2人は離婚。彼はその後、私ほどの年齢であえなく逝ってしまった。もし、M社長が元気でいたら先妻の話を肴に酒を酌み交わすことができたのに……そう思うと残念でならない。今は息子を育ててくれたことに感謝しつつ、「安らかに」と手を合わせるほかない。

若さゆえの試練

先妻と別れた理由だが、主因は「議員をしていたこと」があったと思う。若気のいたりというものだろうか。要は妻も私も心の懐が狭かったせいかもしれない。結婚をし10年を経過した結婚記念日のことだった。「パパ、私達、喧嘩一つせず、こうして10年きたわね」……そう妻が言った。ただ、その頃から徐々に、夫婦間の空気が変わりつつあった。私が議員2期目の出馬依頼を受けた際、彼女が懇願した。「お願い、断って!」と。私は仕事の他に、議員としての活動や労働組合を軸とした地域活動等に奔走する日々が続く。それに対し妻は、小さな公営住宅に息子と2人でおかれ、何かと深く考えることが多くなった。私が議員としていい気になっている裏側で、それにもがき苦しんでいる彼女がいた。彼女には私が議員となった当初から、妻ゆえの悩みが尽きなかった。というのも私が初当選をしたのは29歳。当時は「町政史上、最も若い議員の誕生」などと言われ、そうした言葉に酔いしれ、妻の気持ちにはおかまいなしで悦に入っていた私がいた。その頃の国鉄職員には兼職議員、即ち、仕事をしながらの議員活動が許されていた。

周りから見ると国鉄から給料をもらい、それに毎月の議員歳費が入ってくる……ある意味で財布を2つ持つ、ダブルポケット族に映り、何らかのやっかみがあってもおかしくはない。買い物にいくのも、どこかでそうした目を警戒し、彼女らしい溌剌さを奪っていった。結婚した理由の一つに「うるさい両親の束縛から逃れ、より自由に振る舞いたかった」と口にしていた彼女だから尚更に。そうして他人の前では言いたいこともいえず、モヤモヤ感が次第に膨らんでくる。だが、生活の実態は「公職貧乏」という言葉にもあるように、決して楽ではない。むしろその逆で、なんとか生活を繋ぐ為に、学校の登下校の子供達を守る「緑のおばさん」をしたり、農作物の収穫期には農協の撰果工場で土ぼこりにまみれながらアルバイトをしたりと生計を助けてくれた。でも、そのように振る舞うほどに、周りの目はより厳しさを増していく。

日々の経過と共に、益々、自分の殻に閉じ籠っていく彼女がいた。「パパ、この町を出ない？」……そう言われても議員としての役割を与えられて「うん」という訳にはいかない。「せめて任期中は」と決まったように同じやりとりが続く。

そんな繰り返しの中で少しずつ、気持ちが離れていった。そうして「憎しみがお互いに膨らむ前に」という結論に至るのだ。互いに相手をおもんぱかっての別れであったかもしれない。仮にあの時、私があまり議員に拘らず、妻の苦しい胸の内を察し、それなりの行動をとっていれば、「息子を膝においてて」などはなかったように思う。要は私が町議としての器ではなかったといえる。そうした妻の心模様がわかるだけに、別れる際には家財道具の大半は妻に持たせることにした。家を出る引っ越しさえも手伝い、去っていくのを見送った。その時は悲しい、寂しいという気持ちよりも「新天地で頑張れ！」という思いが強かった。そして遠く離れていく車を見ながら誓った。「2人に恥じない親父になる!」。それが以降の、私にとって生きる**インセンティブ**となり、折れそうになる私の心を救ってくれた。丁度その頃、富良野を舞台に展開されていた「北の国から」というテレビの人気ドラマがあった。息子とドラマの純とは似たような年格好で、私には奇妙にその光景が重なる思いがし、一人で目を潤ませながら見たのを思い出す。「わが家の純、頑張れ!」と心で檄を送りながら。

そうして迎えた大晦日。実妹が「にい、私の家で年取りをしたら」と誘ってくれた。「有り難い」と思いながらも、妹の家族に交わり年取りをする方がかえって空しい。そんな気持ちが働き頑なに断り、妹が用意してくれたおせちを食べ、一人で年取りをした。わが人生の中で、たった一度の、たった一人で味わう大晦日。家具もほとんどないガランとした部屋で、脱け殻になった気持ちを痛いほど味わった。

人生は表裏一体

その翌年、周りの仲間が気にかけてくれ、今の妻と知り合うことになった。ただ、その妻もどこかで私共の別れが「憎みながらのものではないのでは?」と、うすうす感じていたように思う。妻は保母という仕事に携わっており大の子供好き。でも彼女の思いとは裏腹に自分達の子供を授かることはできなかった。何度か息子が私の元を訪ねても、当初はそっけない妻をどこかで感じていた。でもある時期から、それが吹っ切れた(あえて吹っ切ったのかもしれない)のか、ガラリと対応が変わった。やがて息子が社会人になり就職。意図に反して、職を失ったり、更には自己破産をした折にも快く迎え励ましてくれた。有り難いこと、この上ない。

そんな折、わが家で食事を一緒にとった時、息子が率先して後片付けをし「僕がやります」と自ら台所に立ち茶碗洗いをしてくれた。その後ろ姿は、とても切なくみえた。だが、どこかでは神々しく映る彼もいた。それからである。息子の行動に触発をされ、食器の片付けはもちろん、これまでほとんどキッチンに立ったことのない私の姿がそこにはあった。今はそれがわが家の当たり前の光景になっている。まさに「生かし、生かされて」である。

ところで先妻は夫に先立たれた以降、仕事の関係もあり、わが家から歩いていける距離に住まいを移した。今は妻とおかずのやりとりをするなど、姉妹にも似た付き合い方をしている。もしかしたら私を置き去りにし墓友にでもなるのでは、と勘ぐる時もしばしばある。

そうして改めて、息子が発した言葉を思い出す。「自分には母親が2人いる。これも親父のお蔭だ。有り難う」と。本心かどうかは定かでないが、人生の表、裏をみながら実感する。

人には人それぞれの人生がある。

「忘れたい過去はあるが、無駄な経験は何一つない」

これは決して強がりではなく、私自身の現在の正直な気持ちである。失敗は立派なキャリアである。もしかすると幸運を運ぶ種といえなくもない。こうした私の今があるのは、あのなんとも情けない人前に恥をさらした「離婚があったればこそ」かもしれない。そうこう考えると、

「順境は人間を小さくし、逆境は人間を大きくする」

ともいえる。挫折や失敗は人をおとしめる為に用意されているのではなく、むしろその人を鍛え、成長させる為にある、と思った方がよさそうだ。

「人生はプラスマイナスイコールゼロの世界」……70年余りの人生における学びの一つである。幸せは「自分の心の持ちようで決まる」と言われる。私が今こうして、幸せを感じることができるのは、妻や息子をはじめ、何かと関わってくれた多くの人がいればこそだ。今の私は生かし生かされてここにいる。お互いに「生かし」「生かされて」、この世は回っている。

「心の止まり木」を持つ

完全を求めすぎない

以前、「人生に逃げ場なし」という本を読んだ記憶があるが、私は逆に逃げ場を持つ生き方も必要ではと思っている。所詮、人とは弱いもので**「不完全だからこそ人間」**くらいに思った方が人間関係はうまくいく。相手に完全を求めると、相手もそうだが、結局は自分も辛くなる。といって、いつも逃げてばかりでは成長を止めることに繋がる。としたら、目標を持ち、それに向かっていくことは重要だが、よくいう**「ONとOFFの切り替え」**の大切さがそこにある。ストレスフルの時代にあってこれは今日、**「豊かに働き、すてきに生きる」**上からも、極めて大事なスキルの一つだ。

実は今もこうして、わが家のリビングルームにある長椅子に座り、猫の額ほどの小さな庭を眺めている。出窓からガラス越しには初夏のわが家の風物詩、紫ツツジが満開に花開き、それを眺めながら好きな音楽を聴くなどは乙なもので、心に贅沢感がいっぱいに広がる。仕事での疲れや日々の喧騒を忘れさせてくれるひと時だ。そんな意味では築後30年にもなる小さなわが家だが、現在の私にとってはここが、大切な「**心の止まり木**」だ。

50歳代のイケイケドンドンの頃は、ここから逃れ、「宿借り生活」をよいことに、出張に向かった先でのスナックや居酒屋などで、盃を片手に、美味い料理に舌鼓を打ち、可愛いママを横においての会話などだったと思う。なのに、この変わりようはいったい何だ？　これが「年を取る」ということなのであろうか。

ちなみにあなたにとっての「止まり木」は、このどちらのパターンであろうか？　もしマイホームがそれであれば、自宅が癒やしの空間となり、きっとあなたの楽しい明日を作ってくれているに違いない。国が音頭を取り平成27年12月からスタートした**ストレスチェック**にも、わざわざ質問項目の中に家族関係のことがあるのも頷ける。それが明日に向けた**労働への再生の場**になるからだ。

当たり前からの脱却

私にとって、わが家でのホッとした安らぎの源泉は、40年ほど同じ屋根の下で暮らす妻と、15年以上も前に家族の仲間入りをした愛犬のジョンである。その妻に7年前、胃がんが発覚。手術をするということで、半月ほど入院をし留守にしたことがあった。その際、それまで生活を妻に任せっぱなしだったのがたたり、ゴミの分別さえも満足には知らず、洗濯機の使い方さえわからないほどの生活音痴であるのを痛いほど知った。おまけにジョンの面倒をみなければならず、その間は仕事以上にホトホト疲れた。だから、退院後、わが家では、「妻は私よりも長生きをする」のが夫婦間での約束事になった。この妻の入院がなければ、こうした感謝の気持ちは起きなかったかもしれない。「病気に感謝」というのもおかしいが、妻の疾病をきっかけにして**「当たり前が持つ怖さ」**を知った。そうならなければ気づけない自分がなんともどかしい。

さて、わが家には、その他に妻が「うんこたれお君」などと愛称をつけた、まもなく17歳になる愛犬ジョンがいる。犬種はミニチュアダックス。人の年齢に換算すると、私よりもはるかに年上の100歳の大台にも乗ろうという、大ご老犬になる。だが相変わらず「可愛いめんめして」などと、頻繁に夫婦の間では、赤ちゃん言葉が飛び交う。

でも、このジョンにはクッション役として夫婦の危機?を何度、救ってもらったかわからない。というより、むしろその為に妻が飼うと決意したのでは、と今さらのように思う。私達、老夫婦の生活に潤いを与えてくれたのは間違いない。でも、そんなジョンも私達、同様に確実に年を取る。あれだけかつては散歩をせがみ、「遅いぞ!」とでもいわんばかりにリードを引っ張りもしたが、最近はその面影は全くなく、ほとんど、寝ることに終始している。それでも可能な限り、午前と午後の2回「老々散歩」と洒落こむ。

そんな私を見て妻がニヤリと笑みを浮かべながら言う。「お父さん、ジョンに感謝しないとね。ジョンとの散歩がなければほとんど歩いたりしないはずだから」。確かに的を射ている。家にいるだけなら1000歩も歩いていないのではなかろうか。ただ、素直にその言葉を受けとればそうなるが、どこかで言葉には出てはいないものの「お父さん、私に感謝しなさいね。そんなジョンを飼うようにしたのは私なのだから」……そんな風に無言の声が聞こえなくもない。

最近は仕事で出張をしても「早く帰ってジョンに会いたい」という思いが募り、帰宅は間違いなく早まっている。時には携帯の待ち受け画面にジョンを登場させるなど典型的な犬バカの私だ。このままいったらペットロスになるのは保証つきと、今から夫婦で覚悟をしている。そんな私だから、帰宅して真っ先に声をかけるのは、妻ではなくてジョンである。以前は「俺をおいて、いったいどこに行っていたんだ！」と言わんばかりに吠えて、飛びついてきたものだが、今はこちらから声をかけ身体をさするよりない。そうして体を撫でてやると、嬉しさに身を縮めてのお迎えとなる。そう考えると私にとっては、わが家というより、むしろそうしたジョンとの触れ合いが最上の「心の止まり木」ともいえそうだ。

さて、これを読まれているあなたの「心の止まり木」となる癒やしの時間や空間はどのようなものになろうか。このストレス過多の時代にあって、豊かに生きる為には、それをどう持つかも貴重なあなたなりの財産といえる。花が好きならガーデニングなどもよいであろう。また、スポーツで汗をかくなど、とにかく大事なことは「**仕事をキッパリと忘れる時間や場所を持つこと**」だ。「豊かに働き、すてきに生きる」為にはこれは不可欠な要件といえる。

「仕事を趣味に」も悪くない

なお、「仕事を趣味に」という楽しみ方もある。最近の私の仕事っぷりはそれに近いかもしれない。小さい頃から憧れてきた仕事が教師であり、ようやくここにきて花開いてきた感じがするからだ。こうした講師業は私の仕事へのやりがいや、生きる気概とも直結し、充実感や達成感を覚えたりする今日この頃だ。

ある方が言った。「先生、ここまできたら教育界のレジェンドを目指したら」……そういわれると小さい頃からのまたお調子者の性格が顔を出す。今は、趣味のように仕事を謳歌している自分がいる。こうした考えを「**ワーク・エンゲージメント**」といったりする。それは「仕事に誇りややりがいを感じている」という熱意、加えて「仕事に熱心に取り組んでいる」、即ち、没頭と、「仕事から活力を得ている」の活力……「**熱意**」「**没頭**」「**活力**」の3つがキーワードになる。まさにその3拍子が揃った現在の心境だ。妻がそうした私を見てしみじみという。「お父さんは仕事をしている時が最もイキイキしている」と。ただ、くれぐれも留意したいのは、これはかつて話題になった「**ワーカーホリック**（「**働き蜂**」と訳された）」と称された働き方とは違うということだ。問題は「熱心に働く」としても、〝その際の気持ちがどうか〟にある。極端な言い方に聞こえるかもしれないが、私は前者を「**朗働**」、後者を「**牢働**」と称している。さて、毎日、忙しく日々、働いているあなたはこのどちらにシフトしているだろうか。そしてどうせ同じ仕事をするなら、

「日頃の業務の中に、楽しみややりがいをみつけるのも一つの能力」

と言っておきたい。ただ、これも誤解のなきように。自分がそうだからと他者にも「楽しさを見つけだせ」という輩《やから》がいるが、「気持ち（心）」は、決して〝他者に強要されるもの〟ではない。相手に自分の価値観を押しつけているに過ぎない。最近は「**なんでもかんでもハラスメント時代**」のような様相を呈しているが、これを「**エンジョイ・ハラスメント**」と言ったりもする。とにかく、お互いの人格を認めることがより良い人間関係に向けた大前提になる。立場の違いは厳然としてあるが、同じ一人の人間で、決してあやつり人形ではないことを自覚したい。

互いにより良い労働環境の創り手に

これは人間関係全般にもいえるのだが、誰でもが心地よい環境の中に身をおきたいものだ。「働く」ということで考えると、その安寧が保たれないと、職場でのトラブルが多発し、生産性が落ちるのを始め、下手をするとメンタルヘルス不調者が出るなどして、本人はもとより皆で頭を抱えることになりかねない。

ところでその「**心の健康**」だが、私も微力ながらカウンセラーとしてそれに関わり約20年になる。その間、釧路労災病院における「勤労者心の電話相談」のスタートにあたり相談員としてお手伝いをし、現在も北海道産業保健総合支援センターからの委嘱を受け、メンタルヘルス対策促進員の一人として活動したりしている。時代は効率化が求められ、**ＡＩ（人工知能）**の広がりや、**ＳＮＳ（会員制交流サイト）**など、世の中が便利になった裏側で、本来の〝人と人との繋がりをどう作っていくか〟は企業にとっても、働く者にも極めて重要な課題の一つだ。私は講演などでよく話をする中で、「**メンタルヘルスに向けた３Ｋ**」を口にする。これは「気配り」「声かけ」「気づき」である。互いに気持ちにこれをおいてやりとりをすることが大事だ。

この心のケアにも〝上司が部下をケアをする〟、「**ラインによるケア**」などがあるが、私はそのベースは〝自分が自分をケアする〟……即ち、「**セルフケア**」だと思っている。そこで重要になるのがストレスとの付き合い方である。その方法は大きくは3つ。〝ストレスに立ち向かう〟という「**跳ね返す**」、更には〝物事への見方を変える〟などの「**逃がす**」、もう一つが〝周りに愚痴をこぼしたりライブで気持ちを発散する〟などの「**抜く**」がある。これらの解消法を多く持ち、ストレスフルの時代をうまく乗り越えていくようにしたい。今日、「**ストレス耐性**」は、働く上で、生きていく上でも極めて重要なスキルだと断言してよいであろう。その為には自分一人で悩まずに、素直に家族や同僚などと気持ちのやりとりができる関係作りが日頃から望まれる。なお、こうした時代でもあり、それに向けた様々な公的機関等も用意されており、また、メンタルヘルスのポータルサイトである「こころの耳」なども上手に活用しながら進めるとよいであろう。とにかく、「自分の健康は自分で守る」……それが基本だ。

ところでそれに関連して最近は「ハラスメント」が何かと脚光をあびる時代になってきた。「**ハラスメント**」とは、一般的に「**いじめや嫌がらせ**」などと称される。お互いにそれだけ、環境に敏感になってきたともいえるのだが。その為、次から次へと「○○ハラスメント」という新しい言葉も登場する昨今だ。その際、雇用する側、される側の立場の違いはあるにしても、既に法律に規定をされている次の3つくらいは最低でも思い浮かび、お互いに気を配る関係でありたい。それは性的嫌がらせといわれる「**セクシャル・ハラスメント（セクハラ）**」、立場などをバックにした「**パワー・ハラスメント（パワハラ）**」、更に出産等に絡んでの「**マタニティ・ハラスメ**

ント（マタハラ）」である。これらも含め、ハラスメントはどれもが、被害者の人権や尊厳を蹂躙する、断じてあってはならないことである。

最近、中でも話題になるのが「パワハラ」である。部下を持つ者にとっては従来の命令や指導、躾などとの線引きが悩みの種で、**ジェネレーション・ギャップ**などとも相まって、それが先述した〝**叱れない管理者**〟を生んでいる要因の一つになっている。

ところで国では2020年6月からパワハラ防止対策を義務づけた「**改正労働施策総合推進法（パワハラ防止法）**」を施行した。そこでは「**優越的関係を背景にし、業務上必要かつ相当な範囲を超えた言動で、就業環境を害すること**」と定義づけ、6つを類型として示した。1つは「**身体的攻撃**」で、これは〝絶対的にパワハラ〟と捉えたい。次に「**精神的な攻撃**」と「**人間関係からの切り離し**」。この2つは〝原則的にパワハラ〟くらいの押さえ方が妥当であろう。残りは「**過大な要求**」と、逆に「**過少な要求**」、更には「**個の侵害**」の3つで、〝条件付きのパワハラ〟くらいに考えたい。字数の兼ね合いもあり具体的な例については控えるが、さて、あなたのおかれている職場はどうであろうか？　互いに考えてみるとよい。

総じて、これらが**問題になり易い風土**としては、「コミュニケーションが一方通行」であったり、「挨拶や返事がなく全体的に暗い」、更には「社員が定着しない」などが考えられる。また、**そうなり易い上司像**としては「仕事ができる人」を始め、「自己顕示欲が強い人」や、また「精神的な余裕がない人」などが考えられる。逆に**被害を受けやすい人**としては、「おとなしく生真面目タイプの人」や「権利ばかり主張する人」、「キャリアプランを持っていない人」などが人物像として浮かんでくる。さて、あなたの職場は、あるいはあなた自身はどうであろうか？　どちらにしてもパワハラは勿論のこと、ハラスメントが起こる最大の要因は〝**職場の機能不全**〟といえる。

そして今回のコロナ禍は下手をすると、それに拍車をかけることも十分に予想される。**在宅ワーク**の増加等により、これまでの心の安寧に大きな役割を果たしてきた「**ソーシャル・サポート（周りからの支援）**」が受けにくくなる可能性が高いからだ。そうこう考えると、ある意味、雑談もまた大事な役割を果たしてきたのかもしれない。先述した〝無駄の効用〟といえるかもしれない。どちらにしても互いに社会や組織を構成している一人として、**より良い労働環境の創り手**としての自覚を持ちたい。

また、とりわけ、部下などを持つ人に言いたい。

「部下にとり上司は、最も大きな労働環境の一つである」

人生、皆、わが師なり

よい師を持つ大切さ

皆さんが師と仰ぐ人にはどのような方がいるであろうか？　私にとってその一人となるのが本多信一先生だ。あれは私が創業し間もない頃のことであった。仕事らしい仕事はほとんどなく、日を重ねるごとに気持ちがすさんでいく自分がいた。そんな時に、「販売士と私」というテーマで、小売商検定（通称販売士）の制度創設15周年記念論文の募集があるのを知った。「こうして仕事がない時に募集があるのも何かの縁」とチャレンジすることに決め、サブタイトルを「販売士実践を通じてその未来像を探る」とし、新得駅に在職中からJRの狭間の時期に身をおき、「**自らが変わることで周りも変わっていった**」……その経験を接客悪戦奮闘記のような形でまとめ提出した。すると1等入選という思いもかけぬ報を受けた。独立を後押ししてもらったようにも感じ、その受賞のお蔭もあり、幾つかの企業から販売士養成での講習依頼を受けることに繋がった。

この記念式典が行われたのは昭和天皇崩御の関係もあり、平成へと元号が変わった2月である。ところでせっかくの上京の機会である。式典の翌日、その勢いに乗って、ある方を訪ねた。それが本多先生だった。当時の北海道新聞に「サラリーマンNOW」というコラムが連載され毎回楽しみにしていた、その執筆者である。著者の紹介欄を見ると中小企業診断士と書かれているではないか。これも何かの縁だ。しかも先生は、自らの内向型人間としての特徴を生かし、同じ性格を持つ方々に役立とうと現代職業研究所を創立し無料職業相談業を行っているという。

何とかアポイントを取り、新宿にある事務所を訪ねた。診断士の後輩ということもあり、親身に相談に乗っていただき、少し気持ちを軽くし帰宅した。以降、それをきっかけに幾度か手紙でやりとりをさせていただいた。

その中でとりわけ印象に残り今も大事にしている手紙がある。文面は拝啓から始まり、前文に「近くの紅梅の膨らんだツボミを発見したこと」が書かれ、その後にこんな文章が綴られていた。「『開かんとする意思見たり梅の花』という文句が浮かんで参りました。石田様のこれからの人生で、〈我が事でなく人々のため、北海道のため〉に生きるようにして、それらの幸運を導き出してあげてくださいませ。私は自分の子の名前に「邦雄」とつけてありますが、それは〈他の人を、他の生命体を愛する人間になってください〉という意味から付けたものでした。『邦』とはそのような意味なのですね。あなたもそのような人として今後の人生を生きていってくださ いね」と。この言葉に感無量の私がいた。親にも聞いたことがない名前の由来や、こうして「邦雄」ということで本多先生と繋がっている……それが嬉しかった。

その後、私が「人生第2章〜今・ここからの出発《たびだち》」を文芸社から出版した際、友人などが発起人形式で「出版を祝う集い」を企画してくれ、「講演はあまり得手ではない」という本多先生に無理を言ってお願いをし、心に響く深い話を聞くことができた。その時の講題は「人生を語る・石田さんを語る」という、どこかで恥ずかしさを感じるようなタイトルではあったが。その翌年に先生が上梓された「ひとり遊び」（ビジネス社刊）には、冒頭に私の名前入りでそのことが紹介をされており、「気遣いとは」を改めて教えられた気がした。表紙の裏には「大業の完成と人生の楽しみづくりを」と丁寧なメッセージを添えて。沢山ある蔵書の中でひときわ私にとっては大切な一冊になっている。

「俺が俺の『が』を捨てて、おかげおかげの『げ』で生きる」

……まさにそれを実践しているように思う。確か、本多先生と私とは、資格等で重なることがあったにしても、タイプはかなり異なるように思う。先生は内向型、私はその逆というように。でも今も、どこかでそれを真似たい私がいる。自分ができない分の憧れでもあるように感じて。でも、あの先生が醸し出す味には到底及ばないが、それでいいではないか。各々の貴重な持ち味なのだから。但し、私が「**リスペクト（尊敬）する人**」をあげるとしたら、タイプが違うからこそ、間違いなく本多先生は5指にはいる一人である。独立開業の際、そうした人を周りに持つことはとても幸せなことであり、先生に感謝しきりの私である。

なお、本多先生が老子の思想の紹介として語った次の言葉が今も印象に残っている。

「人間は欲を減らせば減らすほど幸せになれる」

愛犬ジョンに教えられて

師となると、一般的には人をあげるのが普通かもしれない。だが、花鳥風月も含めて、教えられるものは万物限りがない。本多先生の手紙の端々からもそれが読みとれる。時間に左右されずに、花を愛でたりする豊かな暮らし方はある種の憧れでもある。「気持ちに余裕を持つ」……言葉でいうと簡単だが、私は性格上、それが極めて難しい。俗にいう「**タイプA行動**」パターンだからだ。これは「急げ急げ病」などとも揶揄され、せっかちでイライラしやすい人をいう。「自分はストレスとは無縁」などとケロリと口にしたり、自分の思いを相手に押しつけがちになったりと、メンタルヘルス上からはとかく要注意人物になりやすい。ただ、こうしてカウンセラーなどをしている身としては問題がある。それを自省し、人一倍食事をとるのが速い私だが、それを「食事を楽しむ」ようにするなど、日々、努力をしてはいるのだが、まだまだ思い通りにいかないのが正直なところだ。

そんな私だから、逆に温厚で静寂さを自然に醸し出せる本多先生に魅力を感じ、少しでも先生に近づこうとしているのかもしれない。意識的にでも、そうした振る舞いを心がけると、不思議にこれまで見過ごしていたことが見えるようになり、それが大きな意味を持っているのに気づく。

わが家には家族の一員として、愛犬ジョンがいるという話をした。このたった一匹の愛犬からも何かと教えられたりする。最近、とみに感じるのは散歩の時の仕草だ。若かりし頃はそれをせがみ困らせたものだが、今やその面影は全くない。だが、それでは足腰が弱くなり、飼い主としては、忙しい中でも嫌がるジョンを散歩に連れ出す。10歩いったら止まり、10歩いったら止まりの連続で、付き合う私も容易ではない。これも少し私自身の行動を変える訓練くらいの思いでお付き合いをするしかない。何とか町内の一画を回るのが精一杯なのだが、時々、「リードが外れたのでは？」と思うほどに足取りが軽くなる時がある。確かあれは、薄い視力の中でぼやけながらもわが家が視界に入り、「あそこまでいけば」という目標が明確になるからではないかと感じる。まさに「**目標を持つ重要性**」である。また、頻繁に休む仕草にイライラし、無理に引っぱろうとすると頑として動かない。足も弱くなってきており、倒れこむ様などを目にすると動物虐待さえ疑われかねない。そこでゆっくりと歩調を合わせ、あるいは頭を撫でジョンが自ら動きだすのを待って進むと、結構、長続きする。これなども**モチベーション**に関連して、どこかで人にも共通するところがあるように思う。また、時間に余裕がある時には近くの公園に連れていき、アスファルトではない土や草の上を歩かせるとＤＮＡがそうさせるのか、あれだけ嫌がる散歩なのに、どこかでイキイキ感を覚えるジョンがいる。

今、わが家の愛犬ジョンを通じ話を進めてきた。あなたもこれを機会に、そうした視点で周りを見つめ直してみるとよい。流れる雲に物語を連想したり、風の色を感じたりして、心に余裕を持ち物事と向き合うことによって周りの景色さえも変わってくる。そうした視点で見直すと、周囲のいたるところに教材が転がっている。そうすることで間違いなく心が豊かになり、生活に膨らみを帯びてくる。かくいう私は戌年生まれ。わが石田家の大きいワンコと小さいワンコのワンワン物語が一日も長く続くことを願う今日この頃である。

「断捨離」は生き方そのもの

「断捨離」が教えてくれたこと

「断捨離」という言葉を耳にして久しい。これは一般的には「部屋の整理・整頓」などをイメージするのではなかろうか。私は研修等で「5S（整理・整頓・清掃・清潔・躾）」などに関して講義をすることもあるが、決して片付け上手ではない。というよりむしろ苦手といってもよいであろう。だから、意識的にやらないとすぐに散らかってしまう。結果、いざ肝心なものを探すのに、なんと無駄な時間を費やしていることか。

幸か不幸か、コロナ禍によりステイホーム生活を余儀なくされ、家にいる時間が増えた。また、自分も古希を越え、いやが上にも**終活**に向け、多少なりともそれをしておかないと残された者が苦労する。そんな訳でこの何年か、少しずつではあるが事務所や自宅の断捨離に遅ればせながら取り組みつつある。

私が診断士として十勝・帯広の地で創業したのは今から30年も前のことになるが、開業した当時はまだパソコンが普及しておらず、紙がビジネスの主役の時代であった。しかもコンサルタントなどの仕事になると、「後日、関係した仕事がきたら」などと思うと、そう簡単に資料などは廃棄できない。としたら、使うか否かは別にして、資料などはどんどんと貯まる一方である。この間、商店街関係など、色々と調査などのお手伝いをしてきたが、その際にまとめた報告書や、研修に使った資料などが山になっており、断捨離といっても容易ではない。ただ、その断捨離を進める過程で、とても良い気づきがあった。

資料を片付けながら目をやると、「そうそう、この会社には仕事がない中で随分とお世話になった」「この研修会をきっかけに何かと広がりができた」ｅｔｃ。そうして開業当初にあった経営（というより食べることに対する）への不安が月日の経過と共に徐々に薄れ、ようやく少し道が見え始めたのは、やはり**「石の上にも3年」**の頃であったように思う。ところで研修会の資料などを整理していると、その内容の浅さなどをまざまざと感じ、「何も知らない自分を隠すのに懸命で、ただひたすら肩肘を張っていたのだな」と思うような、赤面ものも幾つか見つかり、穴があったら入りたい気持ちにもなってくる。でも、人はそうした体験を繰り返しながら成長をしていく。若い頃は自分の力のなさを見せまいと、とにかく突っ張らざるを得ないのが本心で、ある意味、これは自然といえるかもしれない。

そんな私にも関わらず、このように約30年ほど、それなりに道を歩むことができたのは、そうした非力な私に力を貸してくれ、支えてくれた多くの方々がいればこそだ。決してそれは私の力ではない。色々な方々の紡ぎあいの結果なのだ。中でも妻には、開業から10年ほど、保育士として生活面をフォローしてくれ、それがあっての今日であり、改めて心から感謝をしたい。

幾つかの断捨離を経て

私の場合の断捨離だが、こうした部屋の片付けなども勿論あるが、その他にも幾つかのものがある。一つは「**仕事の断捨離**」だ。私が古希を迎えるまでは、どちらかというと「生活をする為の仕事」の側面が強かった。だが、サラリーマンならその多くは、定年退職後、年金を受け第2の人生を謳歌している。としたら私自身もそうギスギスと働くこともないのではなかろうか。対外的には元気そうに振る舞っていても生身の一人の人間だ。加齢化による身体的衰えはどうしようもない。だからこそ、精神的な在り方が問われる。即ち、これまでのように「無理をしてやりたくない仕事でも」というスタイルにそろそろおさらばをし、「自分がやりたい仕事をする」くらいに変わったとしても罰が当たらないであろう。

ちなみに最近、私が研修等の際に自己紹介がてら「もし私が仕事を辞めるとしたら」という仮定で話すことの一つは「例え、健康であったとしても、これを感じなくなったら辞めるでしょうね」というのがある。それは「仕事が楽しめるかどうか」だ。以前は「仕事を選ぶ」などということは、生活もかかっており難しかった。だが、後期高齢者に仲間入りをしてまで「気乗りしない仕事を」とは思わない。特に私のような講師業は有形物を販売している物販業とは違い、無形のものを提供して成りたつサービス業の一つだ。

そうしたら「どのような気持ちで？」は仕事の品質上でも極めて重要になる。仕事にやりがいや、充実感なり達成感などを感じなければ、より良いサービスの提供ができないのは自明の理だ。その意味でも「仕事の選択」が要求される。生意気に聞こえるかもしれないが、この年齢になってくると、そうして「仕事を楽しみながら」はモチベーションを保つ秘訣でもある。

だから、こうして男性の健康寿命を過ぎ、例え元気であったにしても、「仕事へのやりがい等を感じなくなった時は引き際」と自覚している。

「得ること」は何かを「捨てること」

それに関連してもう一つ、「**資格の断捨離**」がある。古希を迎える以前の私の名刺には中小企業診断士をはじめ社会保険労務士、学会認定カウンセラー、キャリアコンサルタント、ハラスメント防止コンサルタント、販売士1級、ファイナンシャルプランナーなど数多くの資格が、「これでもか」というくらいに並んでいた。「資格で食わせてもらった」……偽らざる気持ちである。

だが、仕事の整理と共に、この資格についても断捨離を進めてきている。一番先に更新をせず、それを捨てたのが、これまで自分の生活の支柱として、随分とお世話になった中小企業診断士である。周りからは「なんともったいないことを」とも言われたが、私にはそれなりの理由があった。もしこの資格を継続更新をしたら、私の性格や、資格が持つ特性等もあり「数字を追い、いつまでもこのペースが続く」と思ったからだ。この資格で仕事をしている限り、いつまで経ってもこのスタイルを変えることは難しい。私にとって、それはある意味、「清水の舞台から飛び降りる」ほどの思いであったが、古希を手前に、あえて決断をした。

でも、それまでの四半世紀を振り返ってみると、創業時には診断士資格を持っていても、私のように講師をメインに活動をする診断士は極めて稀だった。としたら、少しはその道を拓く、パイオニア的な役割を果たしてきたと自分を褒めてあげてもよいのではと割り切りながら。そう自分を納得させ、まずは〝本丸から潰す〟という発想に至ったという訳だ。

以降、次々と資格を整理し、最終的には現在の組織開発や人財育成と関連した社会保険労務士、更にはそれと関連してシニア産業カウンセラー、加えて小売商検定（通称販売士）1級の3つが主。この販売士資格だが、私の関わりを持っている団体の一つに一般社団法人公開経営指導協会がある。この組織は販売士資格の誕生当初から、熱心にその育成等に取り組んできた。加えて現在、**ユニバーサルサービス**の輪を広げ、人的対応能力を養成する資格である「**サービス・ケア・アテンダント**」という資格を付与しており、私もその試験委員をしている。「**心のバリアフリー**」に共鳴してのことだ。加えて先述した販売士資格の記念論文での受賞という因果もあり、私のキャリアの一環として外すことができない。

ところで現在の私の名刺には資格が一切、書かれてはいない。それには、私なりに重要な理由がある。それはこれまで資格で食べさせてもらい大変申し訳ないのだが、かつては「中小企業診断士の石田邦雄」などと資格を前面に出してきたのだが、古希を越える頃からそこに疑問を持ち始めてきた。資格ではなく素のままの「石田邦雄として仕事がしたい」という思いがムクムクと頭をもたげてきた。これが俗にいう「**自己実現の欲求**」というものであろうか。なんと生意気な……確か、私自身も10年前であれば、そうした今の自分を見ると、そう映ったに違いない。でも今は何故か、そこにとても拘りがある。これがもしかしたら年齢を重ねた一つの証しなのかもしれない。

なお、仕事や資格の断捨離に関連し、長年、所属をしお世話になってきた日本カウンセリング学会を始め、多くの団体等の退会も進めている今日この頃だ。

これまで断捨離を通じて、最近の私の心の動きをみてきた。だがどうだろう？ 実は人生とは様々な紡ぎあいの一方で、誰もが、その時々に、大なり小なり、こうした断捨離を繰り返しながら今を迎えているのではなかろうか。「**何を残し、何を捨てるか**」……そして「**何かを得るには、何かを失う**」というように物事は表裏一体で動いている。人生とはその決断の連続で、その過程を通じて今がある。もしかするとこうして本を書くというのも、その過程を通じて「**心の断捨離**」をしている私がいるのかもしれない。

さて、あなたの人生の断捨離はいかに？

豊かに働き、すてきに生きる

互いにWIN―WINの関係を目指して

「豊かに働き、すてきに生きる」……「働き方改革」が産業現場に強く求められることになって以降、ずいぶんとこのタイトルで講演等をさせていただいた。考えてみると「働く」ということは、勤める側からいえば、一日の3分の1がそれに当たる。それが生きる手段の人もいるし、それが生き甲斐という方もいる。まさに、人様々だ。だが「働く意味」が各人で異なったにしても、それが「豊かでありたい」とするのは異論のないところであろう。あなたならどのようなことを望むであろうか？　そこで今一度、「働く」ということについて考えてみたい。

経営学者のドラッカーが「マネジメント（エッセンシャル版）」でこんな風に言っている。「現代社会においては組織こそ、一人一人の人間にとって、生活の糧、社会的な地位、コミュニケーションとの絆を手にし、自己実現を図る手段である」と。**組織で働くことを通じて自己実現を図る**……この言葉にいたく共感をし、頷くことしきりの私がいる。皆がこうした働き方ができるとなんと素晴らしいことであろうか。逆に雇用する企業側としてはそうした舞台をどうつくっていくかが求められる。ちなみに「仕事をするのは人であり、人が働くことにより企業は成り立っている」といえる。

だが、「**仕事の生産性を上げる為に必要とされること**」と「**人がイキイキと働く上で必要とされること**」とは全く異質のものだ。そうすると「仕事が生産的に行われていてもイキイキと働いてはいない」、あるいは逆に「働く人が充実感を持ち仕事に従事しているが生産性が上がらない」のどちらかに位置しているとしたら組織という点からは問題がある。この両者をどうまくかじ取りをしていくか、まさに経営者としての手腕が問われるところだ。

それではもう少し、細かに見てみることにしよう。まず「**仕事**」。これは誰が任されるかは別にしても営業や販売、あるいは事務などのように、そこに現に存在する、極めて客観的なものになる。もう一方、「**労働**」、即ち、「働く」とは「人の活動」であり、その理由は様々だ。各人が求めるものも違って当たり前だ。したがって、「労働」は各人の性格や、置かれた環境等により百人百様といえる。このあい異なる「仕事」と「労働」をどのように組み合わせ、組織を切り盛りしていくかが大切になる。しかも今後は、ますます、働く側の意識が多様化していく。それを踏まえ、企業として将来に向けた夢やビジョン等の実現を視野に入れ、お互いにＷＩＮ―ＷＩＮの関係を築いていくようにするには、物とは異なり、感情を持った人間ゆえ、容易なことではない。だからこそ、人の重要性が叫ばれるのだが。

それに向けて大切なことは「**チーム内でどれだけ本音のやりとりがされ仲間意識が醸成されているか**」、加えて「**与えられた目標が、どれだけチームの夢や、各人の夢の実現につながっているか**」ではなかろうか。

本心に気づき、素直な自分に

「すてきに生きる」には何が必要であろうか？　私は第一に「素直」をあげたい。本人も生き方として楽であるし、また、周りにも好感を持たれるからに他ならない。とはいえ、口でいうのは簡単で、その大切さは頭ではわかるものの、「素直に振る舞えるか」となると、なかなかイコールにはなりにくい。広辞苑を紐解くと素直とは「飾り気なくありのままなこと」とある。そうなる為にはどうすればよいのだろうか？　それは「**自分の本心に気づき、それを大切にする**」ということではなかろうか。

仮に私の例でいえば、愛犬であるジョンがとても可愛い。これが本心である。だが、それを邪魔する気持ちが働く。「夫婦の仲違いを解く手段に妻が飼うようにした」などとなると、その本心が後ろに下がることになる。あるいは部下が良いことをした。「良くやったな」と褒めたい自分がいるが「ちょっと待てよ。ここで褒めてしまうとつけ上がると困るのでやめておこう」などと考えそれをしないｅｔｃ。その点、気持ちに素直で正直なのが小さな子供達である。余計なことを考えずに、自分の気持ちの思うがままに行動する。子供の頃にはそうした「**快楽原則**」が支配をする。だが、やがて年齢も嵩み、経験を積み知恵もついてくると、そこに「**現実原則**」が顔を出す。自分の思い通りにはいかない現実を知り、様々な思惑が働くようになり、素直な言動が難しくなる。どう自分を律していくかが問われる。それがもしかしたら「大人への証し」といえなくもない。

だが、そうした現実はありながらも「ありのままの自分」を大切にする気持ちだけは忘れないようにしたいものだ。そして人間は自分一人では生きていけない。そこで周りとの関係をどう割り切りながら、自分をリードしていくかだ。その為にも、夢を含めて自分の行き先くらいは他人に委ねず自分で決めたい。

そうして目標を持ち向かっていくことになるが、私はそれ以降において、大事にしているのが「**行雲流水**」的に物事を考えていくことだ。誰だって先がどうなるかは確実に予測できない。としたら、ある意味、「時の流れに身をまかせ」的な感覚も必要となってこよう。そして夢や目標などを実現するのは決して自分自身の力ではなく、周りの多くの人との繋がりがあればこそである。また、その意味からも、生き方や仕事をするなどにおいてよきライバルを持つことも極めて重要だ。

実は私にも唯一無二のよき**ライバル**がいる。それはおこがましいかもしれないがわが人生を大きく変えるきっかけを与えてくれ、第2の就職先として私を快く迎えてくれた先述した同級生のNさんだ。まだ、そのNさんにはこの思いは伝えてはいないが、コロナ禍が収まった暁には、ぜひそうしたことを肴に、懐かしい時を偲んで語りあいたいと思う。Nさんがどう思っているかはわからないが、私にとってまさに彼は、「**寛厳自在**」を身をもって教えてくれたよき師の一人であり、人生におけるライバルとして心から感謝をしてやまない。それは〝**競争を共創に変えて**〟のものであったようにも思う。皆さんもそうしたよきライバルを心の中だけでもよいので、持たれることをお勧めする。きっとあなたの人生を輝くものに導いてくれるに違いない。

なお、豊かに働くことに関して「虹色のチョーク」で知られる日本理化学工業株式会社の敷地内にある「働く幸せの像」に刻まれている文章を紹介したい。

人間の究極の幸せは、
人に愛されること、
人にほめられること、
人の役に立つこと、

人から必要とされること、

の四つです。

働くことによって愛以外の三つの幸せは得られるのです。

いかがだろうか？　残された愛も一生懸命に働くことによって得られるに違いない。結局は「お互い様」をどれだけ自分のものにしていけるかが問われているように思うのだが。

決定的瞬間を大切に

とかく人は事がうまく運んでいる場合や、人を使うような立場になってくると、「自分の力」を過信し、人間の「間」がいつのまにか薄れがちとなる。傲慢さが目につくようになり人間関係にもヒビが入りかねない。雇用の現場だと「働かせてやっている」になり、そうすると雇用されている側も「働いてやっている」という意識になる可能性が高い。それを「働いていただいている」と変えたらどうなるか？　雇用されている者は「働かせていただいている」という思考へ結びつきやすい。このどちらのスタイルがより良い人間関係を作るかは明らかであろう。

組織風土として「**やっている意識**」ではなく、「**いただいている意識**」を培うことが大切だ。

互いに感謝の気持ちを持つことである。感謝の気持ちを失ったら「心豊かな人生」とは縁遠くなる。そして周りに不信の種を蒔き、自らも不満の思考に結びつきやすくなる。「**素直**」と共に「**感謝**」、そしてそれらに繋げて「**謙虚**」は、**すてきに生きていく為の3要件**といえるかもしれない。

ところで拙著の中でも再三、使ってきた言葉がある。それは「**天の声**」である。私は出来事に偶然はないように思う。何か意味があり、起こるべくして起こった必然ではなかろうか、と。そしてその時々に決断を下し、その結果が今なのだ。私はその決断に際し、大事にしているのが、この「天の声」だ。これは人や時、あるいは出来事などが紡ぎ、重なった時に、どこかで今は亡き父や母の声として聞こえてくる。私の生き方のコーチをしているように。そうした場合、多少、難しいと思っても、その声を優先する考え方に立つ。これまでの人生を振り返っても幾つもその決定的瞬間があった。これまで述べてきたことでいうと、例えば転職場面。長年勤めていた国鉄は分割・民営化に向けて動きだし、自分もそんな時期に離婚。そうしたタイミングで転職の誘いを受けた。あるいは独立開業をした折に、仕事がなく気持ちがすさみかけていた頃、目に飛び込んできたエッセイ教室の新聞広告ｅｔｃ。どこかで両親が導いてくれているようにも感じるのだ。そうした決断の結果が今の私といえる。

これはあなたも同様である。今のあなたは「これまでのあなたが下した決断の結果」なのだ。なお、私の場合、その決断にあたり非常に大事にしているのが「**機会原価**」という概念である。

原価というとお金、即ち、コストに結びつくのが一般的だが、私はそれと同じように、もう一つ、大切な原価があると思っている。「**この機会を逸したら**」と考えると時間も立派な原価になりうる。

例えば、拙著の出版もある意味、75歳という後期高齢者を迎えて書いたことに意味がある。この年を逸したら私にとっての意味は極めて薄いものになる。どちらにしてもそうした機会を生かすも殺すも、決断するあなた次第である。その場合、忘れてならないのが、一般的に考える原価には資金が必要なように、機会原価においても準備が必要になる。決断をするその時にあたふたしないように、蓄えがなければならない。そうでなければ、せっかくの機会もみすみすと見逃さざるを得ない。悔やんでも後の祭りである。誰にも同じように与えられている一回こっきりの人生だ。それを豊かにするかどうかは、あなた次第といっても過言ではない。

幸せ人になる為の8変化《へんげ》

「人生」という2文字だが、「人が生きる」と読むことも可能だが、私はこう読みたい。「**人が生まれる**」と。年齢や性別等による違いがあるにしても「この一瞬、一瞬に新しい自分が生まれている」……そう思ったほうがはるかに楽しいではないか。明日はどんな自分が生まれるのだろう？　そう思うとワクワクしてくる。そして知恵と経験を重ねる中で「**人は成長する為に生まれてきた**」と思いたい。ただ残念ながら、自分一人で成長することはできない。様々な関係性を通してこそ、それが可能となる。その為には他者に変わることを求めるよりも、まずは「**自分から先に**」を心がけたい。「豊かに働く」「すてきに生きる」為にも、どうやらその辺が落としどころになりそうだ。そうして「**一生前進、一生燃焼、一生青春**」などといえる人生になれば、一段と輝きを増していく。そこで「**幸せ人になる為の8変化《へんげ》**」ということで、拙著の結びにしたい。

自分が変われば相手が変わる。
　相手が変われば心が変わる。
　　心が変われば言葉が変わる。
　　　言葉が変われば態度が変わる。
　　　　態度が変われば習慣が変わる。
　　　　　習慣が変われば運が変わる。
　　　　　　運が変わればあなたの人生が変わる。

おわりに

年齢により目の疲れが激しい中の執筆は結構しんどい。すぐに目がしょぼつくし、また、例年にない猛暑が続く中での執筆となり、体力的にも辛いものがあった。でもこうしてなんとか書き終えることができ、今はそれ以上に、成就感の方が圧倒的に上回っている。この度の執筆は、当初はコロナへの怒りと、前著の改定などを軸にしたものであった。だが、書き進めるにつれ、それが微妙に変わっていくのを感じた。丁度、その頃からワクチン接種が始まり、するとコロナへの怒りも徐々に和らぎ、原稿に向かう姿勢も改定というよりもむしろ、ペンを走らせる過程で自分見つめの絶好の機会に変わっていった。それにしても人の気持ちとは移り気なものだ。改めてそれを実感した2ヶ月弱であった。書き始めた時の思いと、こうして書き終わった時とでは、大きな違いを感じる。そう思えるのも、今となっては逆に心地よい。

ところで何かと疲れを感じながらも、こうして書き終えることができた最大の要因は、本家の従兄弟にあたる末弟が、北海道に2度目の緊急事態宣言が発出される5日ほど前に、逝ってしまったことがある。彼は3人兄弟なのだが、この10年ほどの間に長男を先頭に、次男も相次いで平均寿命を待たずに他界。とうとう私よりも一つ年下になる彼までが逝ってしまった。兄弟同様にと勝手に思っている私にとっては、最後にひとりポツンと取り残されたような、そんな心境にさえなってくる。彼とは年齢的に近いこともあり、幼少の時から仲が良かった。社会人になり一時期、縁が途切れた時期があったが、彼の兄が相次ぎ亡くなったのを機に、空白の期間を取り戻すように、随分と会食などの機会をもち語り合ったものだ。

彼は20年ほど勤めていた会社が経営破綻。将来を嘱望をされていた彼だけに、そのショックはとても大きかったようだ。私もその気持ちがわかり、話題にすることは避けていた。そうしてあれは一昨年の末になろうか。その最後の壮絶な幕引きの様子を初めて語ってくれた。「ようやくこうして少し話す気持ちになりました」と。だが、まさかそれが最後の会食の機会になるとは思いもよらなかった。「自分を犠牲にしても周りから」という姿勢や、リーダーとしてのあり方などに心を奪われたが、私がそれ以上に意義深かったのは、こうして従兄弟である私に、気持ちを開き話してくれたことだった。破綻以降の長い歳月を経て、私との出会いを重ねる毎に、少しずつ気持ちがほぐれ、ここにきてようやく重い話題を口にしてくれた……それが私には嬉しくてならなかった。

これからもっともっと互いに胸襟を開き、昔話を肴に語り合うはずだったのに。そうした機会を奪ったのは新型コロナであることは間違いない。おまけに肝心な告別式にも参列ができず、申し訳ない気持ちでいっぱいになる。そこで「それに代わり、なんとしても」という思いから、「緊急事態宣言発出のこの時に」という思いでペンを走らせた次第だ。となると執筆を促したモチベーターは、従兄弟の彼かもしれない。

今回の出版が、生涯現役を貫いた彼へのはなむけとなり、そして小学校の頃まで、苦しい時の逃げ場所として、肉親以上にお世話になった伊藤家への感謝の思いをこめて。

なお、今回の出版はそうした彼への思いの強さが背景にあったが、それに加え、なし得たもう一つの理由は、目的がはっきりし、向かう目標が明確であったからだ。コロナをはね返し、これを機会に少しでも住みよい社会へ、あるいは言葉を変えると「コロナ禍に抗して」という目的が強くあり、「いつか、その内」でなかったことが大きい。よく目標には「何を」「いつまでに」「どのレベルまで」の3要件が最低でも必要だというが、今回の私なら「本の出版に向けて」「緊急事態宣言中に」「原稿を書き上げる」くらいになろうか。こうした目的や目標があり、なんとかここに体裁を保つことができた。

なお、執筆のスタイルだが、途中、何かと右往左往をしたものの、前著と同様、研修のサブテキスト的な精神を引き継ぎつつ、多少、自分史的（他者には語れない私だけのもの）なものを加え、事例等を挿入するのにこだわった。もし読者諸兄で前著をということであれば電子出版もされており、それを利用するのも一つであろう。今、こうして肩の荷がおりしみじみと思う。今の私があるのは、拙著に登場していただいた方を始め、周りにいる多くの人達のお引き立てや応援があればこそだ。執筆に際して、本当の気持ちとしては「感謝をこめ実名入りで」とも考えたが、何せ、そろそろ認知症を心配しなければならない年齢でもあり、加えて、結構、思い込みが激しい性格などもあり、記憶違い等があっては失礼と思い、多くはアルファベットで表示させていただいた。

どちらにしてもこれまでのわが人生は「借りを作る」が主役であった。だが、人生の終盤戦になるこれからは「借りを返す」のが主役になるよう心がけたい。気持ちとしては「余生」というよりも、むしろ、〝どんな生き方の締めをするか〟という意味で、本当の私なりの生き方、即ち、「本生」（私は〝ほんせい〟と読んでいる）が問われる。ジェラール・シャンドリーもこう語りかけている。「人生の終わりに残るものは、我々が集めたものではなく、我々が与えたものである」と。私もそうした心意気だけは忘れず、精一杯、頑張って生きていけたらと思う。

また、今回、健康状態があまり優れない中にも関わらず、共に義理の仲に育ち、似たような体験をしてきた妹には、「にいの為に」と随分と尽力してもらった。そんな意味では字面にはなってはいないものの、確か、あぶり出すと妹の名前が著者として出てくると思う。最後に短い期間であり、無理の連続であったにも関わらず、貴重な助言をはじめ、何かと熱心に関わってくださった中西出版の関係者の皆様に心から感謝を申し上げたい。としたら、この本そのものが、そうした様々な人や事柄が何かと紡ぎあって上梓することに至ったといえる。お蔭で私もこうして一つ「夢を形に」することができた。もちろん、それには今こうして手にとってくださった読者の皆様がいればこそだ。文字通り「生かし、生かされて」の成果が、この本に結実したともいえよう。としたら、いくら言っても言い過ぎではない。「有り難う」「有り難う」「有り難う」と。

先日、ある方がこんな話をされていた。「日本人が最も好む言葉は『有り難う』よりも『また、会いましょう』だ」と。皆様とも「またどこかでお会いできる」のを楽しみに。

令和3年9月

石田邦雄（いしだ・くにお）

1946年北海道新得町生まれ。㈲石田コンサルタントオフィス代表取締役、めでる研究室主宰。国鉄、会計事務所を経て中小企業診断士として独立開業。現在は社会保険労務士、シニア産業カウンセラーなどとして組織改革や人財育成に携わる。人と企業のマッチングを目指し、中小企業大学校を始めJAカレッジなど、多くの団体、企業と携わる。体験に基づいた「教える」よりも「考える」、「学ぶ」よりも「気づく」研修などが特徴。著書として「産業カウンセリング」「縁を紡ぎ、人を育む」などがある。

豊かに働き、すてきに生きる
自分を磨くあなたに贈る30の応援メッセージ

発　行　2021年 9月18日　初版第1刷
　　　　2023年 9月15日　初版第3刷
著　者　石田邦雄
発行者　林下英二
発行所　中西出版株式会社
　　　　〒007-0823 札幌市東区東雁来3条1丁目1-34
　　　　TEL 011-785-0737　FAX 011-781-7516
印刷所　中西印刷株式会社
製本所　石田製本株式会社

落丁・乱丁本はお取り替えいたします。

ISBN978-4-89115-403-5